KB104140

도매금

도말금

도말법

도매금 도말금 도말법

발 행 | 2024년 1월 31일
저 자 | 박상권
펴낸이 | 한건희
펴낸곳 | 주식회사 부크크
출판사등록 | 2014.07.15.(제2014-16호)
주 소 | 서울특별시 금천구 가산디지털1로 119 SK트윈타워 A동 305호
전 화 | 1670-8316
이메일 | info@bookk.co.kr

ISBN | 979-11-410-6838-7

www.bookk.co.kr

박상권 연쇄단편집

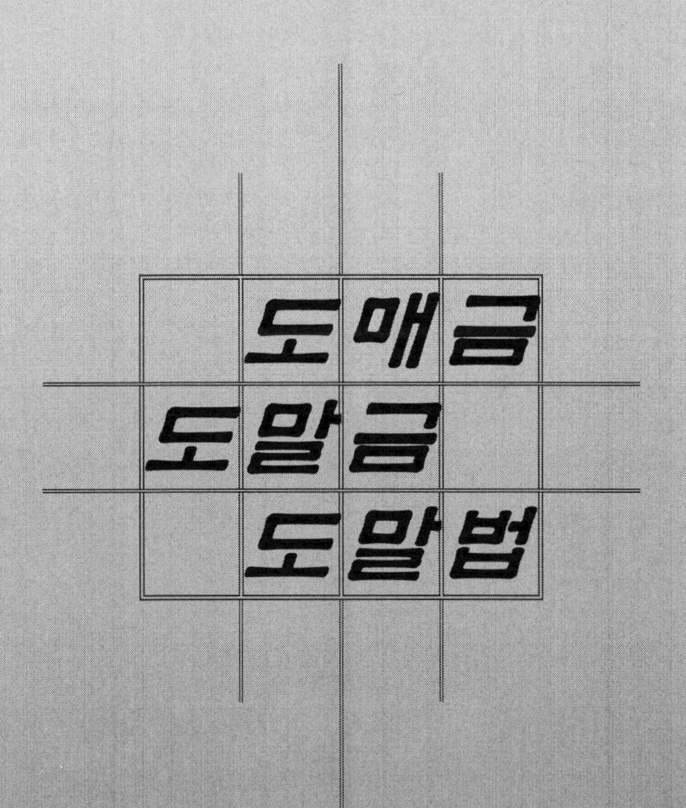

들어가며

으레 지향 없이 끄적거리다 보면 어느새 한 해가 다 가곤 한다. 신년 정초부터 미련스레 연례행사인 양 한 권의 책으로 마무리하기 위해 다시 뜯어보면 스스로도 건질 만한 것은 역시 전무하다. 이번에도 그러했다. 언뜻 지난여름 시류에 젖어 '흐르는 현자賢者들의 섬'쯤을 표제가 됐든 주제가 됐든 염두에 두었음에도 말이다.

진부하고 식상한 옛날 우화愚話에서처럼 채 낳기도 전에 가당찮은 황금알부터 욕심을 내서였을까? 무엇보다도 원체 부화할 가망도 없이 곯아 터진 난황卵黃만을 잔뜩 품어 안고 있으니 어쩌면 당연한 노릇일 것이다.

나는 잘 알고 있다. 이 모든 게 지금에 이르러서도 도무지 정연하지 못한 자기 집착이 빚어낸 필연적인 결과임을. 그리고 애초에 그 집착이 나로 하여금 다 늦게 붓을 들게 했고, 앞으로도 언제까지나 기약 없는 맴돌이에 머물게 하리라는 사실마저도.

그럼에도 이번만큼은 개인적인 집착에서 벗어나기 위해 바깥으로 눈을 돌려 보려 한 심사가 묻어나기는 할 터인가? 내가 직접 겪어보지도 못한 가공의 요소들을 억지로 짜서 삼인칭 시점에 맞춘다고 시야가 썩 달라지거나 넓어지리라는 기대는 하지 말았어야 옳았다. 왠지 성글고 피상적인 느낌을 나 자신부터가 눈감아 줄 수 없기 때문이다.

우리 사는 현실이 알게 모르게 느슨하나마 서로 이어져 있다는 사소한 발상이 얼마나 순진했던가는 차치하고서라도 그렇다. 어불성설語不成說에 요설妖說과 횡설수설橫說竪說의 태반을 버려가면서까지 대충 엮고 나니 비록 보이지는 않더라도 끈적해야 할 감촉을 찾을 수 없었다.

그리하여 지체는 에필로그요 본성은 프롤로그인 한 편을 덧붙이기로 하였다. 물론 시각마저 달리하여서였다. 그런데 그게 비교적 글쓰기 초창기에 나의 오래전 체험을 실마리 삼은 습작을 손본 것에 지나지 않으니 이를 어찌 받아들여야 할지 난감할 따름이다. 하릴없는 자기 집착으로의 퇴행이 아니기만을 바랄 밖에는 별도리가 없다.

아차! 장차 한 해 동안 새로 쓰게 될 글에서 확인해 보는 수도 있긴 하겠다. 그나마 요행僥倖일까? 간지干支로든 간지奸智로든 응당 음력일 테니 순수 유일 상상의 동물, 그렇게나 길하다는 용, 그것도 청룡의 해가 아직은 오지도 않은 셈이다.

계묘癸卯 구랍舊臘

한밭 우거寓居에서

- 차 례 -

남남북녀 스쿼드

NNBN 小組, 선을 넘는 만남!

고성희—인제 보니 성히였을 수도 있겠다. 아니, 이도 저도 다 아닐 수도 있다.—가 건네준 명함 한복판에 시뻘겋게 그렇게 박혀 있었다. 그리고 오른쪽 맨 아래로 달랑 까만 전화번호 하나. 그것도 휴대폰이 아닌 유선으로. 그 흔한 이메일이나 홈페이지, 사무실 주소 따위는 없었다. 뒷면 역시 앞면과 같은 수수한 연녹색에 아무것도 쓰여 있지 않았다. 휘운은 고성희의 가녀린 나신이 이처럼 투박하지는 않나 하는 착각을 떨쳐내야 했다.

“이게 뭐야? 그보다도 이걸 왜 나한테 주는 거야?”

“오빠! 나, 더는 오빠 못 만나요. 인차도 비법이었던 걸요. 한 번만 더 이러다 정분나면 정말로 정지먹는단 말입니다.”

대체 뭐지! 이건 숫제 랩을 하자는 건가? 그것도 두운씩이나. 이제 겨우 세 차례 만났을 뿐인데. 그런 식으로라면, 이게 진정 가정으로라도 연정이라는 말씀? 두 번까지는 우연과 오류의 가능성으로 소속 조합에서 용인이 된다고 했다. 그 선을 넘어선 것은 전적으로 휘운의 불민함, 그리고 어울리지도 않는 만용 탓이었다. 그녀의 번

호를 억지로 빼내서 이렇게 사사로운 밀회를 시도한 주동자는 휘운이었다는 뜻이다. 고성희에게는 위험을 무릅쓴 가외의 돈벌이이거나 일종의 외도였을 것이다. 어찌 되었든 둘이서 뭔가를 즐긴 것은 맞는다. 그것도 썩 만족스럽게 각자.

"거기에 저보다 정하고 참한 여자들이 많을 거입네다. 잘해보시라요. 허구헌 날 이런 데로나 찾아들지 말고서네."

그런 데나 찾을 수밖에 없는 것이 휘운의 최대치였다. 어느새 마흔을 바라보는 비정규직 남성. 결혼이니 출산이니 꿈을 꾸기에는 현실이 너무 두터우면서도 또 첨예했다. 사실 그때는 그런 생각조차 할 겨를이 없었다. 휘운은 모처럼 맘과 몸이 맞는 여자를 잃는다는 두려움까지는 아니더라도 몹시 성가신 감정이 앞섰다. 이제 또 누구를 찾아 나서야 하나? 비단 시간과 비용만의 문제가 아니었다. 잠시 잊고 있었던 인간적 자존을 들썩거려야만 하는 이른바 고난의 행군을 새로이 시작해야 하는 것이다.

진정한 통합을 추구합니다. 잠시만 기다려 주세요.

"기다리시게 해서 죄송합니다. 남남북녀 스쿼듭니다!"

"어? 무슨 에넨비엔 소조라는 데가 아니고요?"

"여기가 바로 거깁니다. 잠시만요! 으음……, 우리 기휘운 선생님?"

설마 운율감마저 느껴지는 알파벳 약자가 우리말의 초성을 딴 저렴한 표기였단 말인가? 그보다는 어떻게 내 풀네임까지. 혹시 사립학교 계약직 교사의 신분마저도. 무아지경 환락의 와중에서도 고성희에게 밝히지 않은 사실들이었다. 제발 이거저거 따질 거 없이 그저 까탈스럽지 않은 싱싱하면서 농염한 여자 하나면 될 텐데. 휘운의 천진한 바람과는 달리 설명이 다소 긴 편이었으나 상담의 요지만큼은 확고했다.

"그러니까 간편하게 주민등록번호 끝자리를 확인해 주시는 것만으로 저희 스쿼드에서 중점적으로 추진하는 본 프로젝트에 제반 진행을 일임한다는 법률적인 의사 표시를 갈음합니다."

"진행의 일임이라면……, 쉽게 말해서 마음에 쏙 드는 여자가 나올 때까지 무한정 알선해 주겠다는 뜻입니까? 들으면 들을수록 그거 나쁘지 않군요."

"나쁘지 않은 정도가 다이겠습니까? 추가로 관계 당국에서 결제되는 후원 카드는 물론 온오프라인 공용 비자까지 확인 즉시 발급이 됩니다."

나긋한 톤이면서도 품위를 잃지 않는 상담원과의 통화에서 고성희와 같이 쉬운 여자를 기대할 수는 없겠다는 예감이 확실해지고 있었다. 당장 오늘 밤의 욕구와 고적함을 달래줄 즉석 밀회도 불가능했다. 밀회가 다 무어냐. 무려 합법적인 결혼이라지 않는가? 그들은 완전히 차원이 다른 세계를 휘운의 눈앞에다 펼쳐놓고 있는 거였다. 언제나 무지근한 심중으로 바라고는 있었으나 꿈조차 꾸어볼 수 없었던 그 단어가 그녀의 가볍고 매끄러운 혀 놀림을 통해 몇 번이고 귓바퀴를 간질였다.

단, 명함 속의 진부한 카피 그대로 남측 남자인 휘운이 저 경계를 넘어 북녘의 여자에게로 가야 한다는 것이었다.

김 대행, 이른바 '특각및초대소관련비망록' 등 통합 이전 모든 문건 공개 금지 원칙 재천명

남남북녀 스쿼드에서 정해준 대로 출·입경 사무소까지는 셔틀버스를 이용하여야 했다. 구차스러운 조퇴 없이 금요일 수업을 다 끝내고 늦은 오후에나 도착한 관계로 제때 수속을 마치기에는 다소 여유가 없어 보였다. 하지만 북행 버스로 갈아타기 위해 속칭 촘촘 그물코인지 숭숭 거미줄인지 그곳에서 머문 시간은 휘운의 우려보다 훨씬 짧았다. 그만큼 간편한 통행 절차였다. 과연 특차사증의 위력이 이렇게나 막강한 걸까. 난생처음 검문검색대를 통과하기 전 눈여겨 담을 수 있었던 전광판의 한 줄짜리 헤드라인 뉴스도 그래서 저것 하나였다.

넥타이까지 착용한 싱글 차림으로 단출한 백 팩 하나. 원색의 가을 산행용 캐주얼에 한 손으로, 간혹 양손으로 커다란 캐리어를 끌고 있는 사람들 틈에서 휘운은 잠시 소외감마저 느꼈다. 그런데 무슨 특각까지는 몰라도 초대소 같은 데에 묵게 되려나. 그렇다면 그곳에서 누구를 만났고 무엇을 했는지 낱낱이 기록으로 남을 텐데. 아무리 그래도 내가 분단 시절에 특별히 육체적 향응까지 누렸다는 무슨 셀럽들도 아닌 담에야 설마 저렇게 공개 논란까지야?

어쨌든 무탈하고 성공적인 방문을 위해서라도 자신의 처지를 정확하게 새겨두고 있는 것은 바람직했다. 하지만 휘운은 결과적으로 약간의 착오를 범한 셈이었다. 반대편 방향으로 길게 늘어선 줄을 보니 비단 사증만의 문제가 아닌 듯했다. 애초부터 거미줄 출경에

비해 그물코 입경 절차가 몇 배나 까다로운 것이다. 그런데 왜 북행이나 남행이 아니고 굳이 출경이고 입경인 걸까? 정치적으로 무슨 통합상의 고려라도 있었다면 이것이야말로 심대한 착오였다. 언뜻 전자가 후자보다는 그래도 가치중립적이라고 여겨진 까닭이었다.

"저 안으로 들어가시게 되면 아무쪼록 좋은 인연 만나시기를 바랍니다앙!"

통행증에 붉고 푸른 스탬프를 번갈아 꾹꾹 누르며 덕담이랍시고 건네는 나이 지긋한 여직원. 그 얄팍한 미소와 마주치지 않으려 잠시 딴전을 피워야 했다. 이제는 이 세상에 존재하지 않는 아버지와 이 나라에 없는지도 있는지도 불분명한 생모 생각이 번갈아 난 것은 그래서였다. 그들도 맨 처음에는 이와 비슷한 대접을 받긴 했을 것이다.

한 세대 전 휘운보다 더 나이 먹은 채 외국인 신붓감을 구하려고 호기롭게 국적기에 오르던 아버지의 기분이 이랬을까? 아니면 아버지나 다름없는 나이의 이방인 남자 손에 이끌려 서먹하게 이 땅에 내리던 생모의 심정이 더 그랬을까? 그들 사이의 소산임을 부인할 길 없는 자신은 둘 다이거나 아니면 아무것도 아니라고 일단은 접어두기로 했다. 솔직하게는 NNBN이든 남남북녀든 이들이 호언장담한 대로 자신 앞으로 차려지는 밥상을 보고 판단해도 늦지 않으리라는 조심스러운 마음이었다.

그럼에도 생계의 터전인 학교로 치자면 도도한 독신의 여선생들처럼 너무 나이가 많거나 이제 막 피어오르는 제자들같이 지나치게 어리거나 해서는 안 되겠다는 어렴풋한 기준은 있었다. 더 솔직하게는 다만 슬기롭고 편안한 여자였으면 좋겠다는 기대감을 떨쳐버릴 수가 없었다. 아니다! 그 무슨 거창한 정치적 의미를 다 떠나서 개인적으로도 이건 도무지 잡기 힘든 절호의 기회였다. 그만큼 위험을 감수해야 하는 일생일대의 도박일 수도 있겠지만 말이다.

도적같이 찾아온 통합, 새색시같이 맞이할 통일.

통일이야 어찌 되더라도 예멘처럼 하지는 말자!

출·입경 사무소에서 빠져나오자마자 이내 고속도로로 진입하는 경로였다. 한창 공사 중인 그 짧은 거리에 어지러이 내걸려 있는 현수막은 이것들이 다는 아니었다. 당국이고 언론이고 신중하게 가려서 사용하자던 용어들이 공공연하게 뒤섞인 것이 눈길을 끌었을 뿐이다. 순간적으로 자신이 북으로 넘어왔다는 이질감을 불러일으키기에 전혀 모자람이 없었다.

바로 통합과 통일! 이건 예전 분단 시절의, 일테면 남북 단일팀과 북남 유일팀의 줄다리기와는 전혀 별개의 스토리였다. 거기에다가 아편이나 다름없다던 종교적인 비유와 함께 저 아라비아반도 모래바람 멀리 생소한 남의 나라 근현대사까지. 앞서 무미건조한 문구의 남측 전광판과 대비되어 강렬하게 풍겨 나오는 생기가 낯설었다. 더군다나 별로 틀리지도 않는 말이라는 데에서 그 진정성이랄까? 절박함이랄까? 아무튼 대충 그런 느낌이었다.

몇 해 전 충분하고 광범위한 협의 과정 없이 최고 권력자들의 전격적인 통합 선언이 있었다. 속칭 공도동망의 위기 속에 제 살길을 찾자는 정치적 결단에도 불구하고 현재 살아남은 자는 단 한 사람도 없다. 그 여파로 나라 전체가 심대한 후유증인지 엄중한 후과인지를 겪고 있는 것도 틀리지 않는다. 휘운이 아무렇지도 않게 밀월蜜月 아닌 밀월密越인 여자들을 사서 탐하고, 또 그로 인해 급기야 이렇게 방문객의 신분까지 된 것이 그 역설적 실례였다.

일부 소요 상황 발생 가능성 점증 보고!!!

모든 체류자 및 방문객께서는 개인 안전에 유의하시기 바랍니다!

그렇더라도 어떻게 과거 예멘처럼 재분단에 심지어 내전 사태까지? 하다못해 거기는 우리와는 달리 남과 북이 뒤바뀐 처지였는데……. 엉뚱한 데로 마구 이어지는 상념을 비웃기라도 하듯 재난안전문자가 울렸다. 그랬다. 현실은 한 발 한 발 소설이나 영화에서 모양 어둠의 심연으로 깊숙이 들어가고 있는 거였다. 무슨 무한 공포까지는 아니더라도 잠시라도 긴장을 늦추지 않을 필요성이 확실해 보였다.

그러나 넥타이를 바짝 조이며 정면을 주시하는 휘운과는 달리 버스 안의 분위기는 특별한 변화가 감지되지 않았다. 채 열이 넘지 않을 듯한 대다수 탑승객은 느슨한 복장만큼이나 여전히 느긋하고 심드렁한 자세였다. 자신 같은 초행이 아니라 장기 체류자, 심지어는 복귀하는 원주민일지도 모른다. 나도 결국에는 저들같이 되어 보겠다고 이 차에 올라앉아 있는 것이 아니겠는가?

그렇게 생각하고 다시 문자를 곰곰 뜯어보니 넉넉히 그럴 만도 했다. 이건 무엇 하나 확실한 것이 없었다. 구체적으로 어느 지역에서 얼마만큼의 확률로 어떤 성격의 소요를 누가 일으킨다는 것인지 도무지 알 길이 없는 것이다. 심지어는 그런 예측과 보고를 한 주체마저 불분명했다. 이게 북측식의 소위 렬렬한 환영 인사라는 겐가?

※※※WELLCOME※TO※KYOMIPO※HOTEL※※※

휘운은 대망의 평양 시내로도, 그리고 특각이나 초대소로도 들어가지 못했다. 서울의 무인 러브텔을 연상케 하는 초입의 '호텔 파인우드' 정류장에서도 일행을 따라 내릴 수가 없었다. 여기저기 아스팔트 포장 공사가 진행 중인 한산한 왕복 4차로의 고속도로를 한 시간 반 넘게 달렸나? 그래서 도착한 어두울 녘 이 도시 깊숙이 바닷가 숙소만이 이렇게 맞아 주고 있었다. 그런데 철자상의 흔한 오류는 애교라 치더라도 무슨 이름이 쿄미포? 아하, 교미포! 나중에 알게 된 거지만 겸이포가 맞고 위치도 바닷가가 아니라 대동강 변이었다. 교과서에서나 접한 청일전쟁 때 이곳에 항구를 세운 일본 장교의 이름을 우리식 한자음으로 따서 그렇게 부른 적이 있다고 했다. 식민지 시절 같은 이름의 제철소도 꽤 대단했다던가?

모두 휘운도 모르는 사이에 뒤따라 내린 늙수그레해 보이는 남자가 체크인을 기다리며 깨우쳐 준 사실들이었다. 아무리 둘러보아도 처음부터 가이드나 수행원 따위는 없는 모양이었다. 그때그때 울리는 휴대폰의 지시에 따라 움직여야만 했다. 그래서였을까. 그는 대략 넥타이만 매지 않았다 뿐이지 주름이 져서 더 후줄근해 보이는 콤비를 걸쳤다는 점 하나만으로도 동질감을 불러일으키기에 충분했다. 역으로 그만큼 그와 휘운은 더 이상 닮은 구석을 찾기가 어려웠다. 남쪽이었다면 서로 사사로이 말을 섞어보자고 할 염이나 들었을까. 이건 참 미안한 말이지만 솔직히 휘운은 그가 이곳의 분위기에 더 잘 어울리는 것도 같아서 오히려 이물스럽지가 않았다.

"선생도 영 아다라시구만요! 아까 그치들은 결혼이나 정착은커녕 순 잿밥에만 맘이 있는 거 같으던데……. 나는 송이쟁이 유덕만이라고 합니다. 저쪽에서는 여기저기서 송이 말고도 이것저것 캐서 먹고살았었습니다. 산은 여기가 훨씬 높고 깊겠지만요."

한창 사회적으로 유행하는 호혜 평등의 원칙에 따라 나이, 직업 포함 통성명으로 응수하자 그의 표정에 약간 어두운 그늘이 지는 것을 느낄 수 있었다. 그래서 휘운은 그가 보기보다는 덜 나이를 먹었을 수 있다고 짐작했다. 어쩌면 자신보다 몇 살인가 더 아래일지도 모른다. 그만큼 예전 나는 자연인이다! 식 삶의 지향이 여의치 못했다는 의미겠지. 그런데 그는 어쩌자고 저쪽, 그러니까 남쪽에서의 삶이 완결된 것처럼 표현하고 있는 걸까? 그 답은 깊이 생각할 것도, 그렇다고 오래 기다릴 것도 없었다.

"이거 듣고 보니 생각보다 특등급 신랑감이시구먼그래. 그 정도 조건이면 여기 여자들이 모조리 깍데기 벗고 달려들 거 같은데요. 이렇게 빡센 양반하고 붙여놓으면 진짜 예서 살고 싶은 나보고 어쩌라는 건지? 원!"

말은 그러면서도 그는 불만이나 불안의 기색이 없이 사람 좋게 웃고 있었다. 칭찬인지 비아냥인지 오히려 마음이 불편해진 것은 휘운이었다.

"그게 무슨 애깁니까? 원래 따로따로 정해진 파트너들이 있는 거 아니었습니까? 무슨 옛날 짝짓기 프로그램처럼 서로 번갈아 가며 사람을 잴 것같이 말씀하시니까……."

"자자, 차차 두고 보면 알게 되겠지요. 건너 건너서 들은 건 많아도 나도 생판 처음이라서요. 허기사 사람이 새로 판을 갈아서 살자는데 꼭 여자가 있어야만 하는 건 또 아닐 테고……. 그래도 있으면 금상첨화겠지만 내 처지에 잔잔한 비단결 심정만으로도 나쁘지는 않으니까요. 또, 그래야 이놈 저놈 뭐라도 떨어지는 게 있을 거 아닌가요?"

하정히, 22세, 159cm, 48kg, 1남 2녀 중 차녀(+부모 사망), 사리원 제2사범대학 중퇴, OO초급학교 근무……

NNBN이라는 흐릿한 로마자가 깨알같이 깔린 연갈색의 신상 파일에서 대충 훑어내리다 만 오늘 파트너의 개인정보였다. 일단은 공공이든 사설이든 이들도 일종의 결혼정보업체라 할 수 있을 텐데 전반적으로 너무 부실한 자료를 내놓고 있다는 인상을 받았다. 하기는 자신의 정보 역시 크게 다르지 않을 것이다. 부족하거나 궁금한 사항이 있다면 호상 충분한 대화와 접촉을 통하여 채워나가라는 무언의 배려라고 이해해 주는 게 차라리 속 편할 듯싶었다. 이건 결과론이긴 하지만, 그나마 정보의 신뢰성 여부는 묻지도 따지지도 말고 그저 이 밤이 새고 닳도록 말이었다.

"통합 선언 직전 소위 일호 사건과 엮여서 갑작스럽게 그렇게 되셨습니다. 더 이상 상세한 건 저도……. 아참! 그리고 정확하게는 초급학교 교원도 아니고 아직은 그저 수업 보조원 자립니다."

긴급 알람에 의하자면 안전과 보안상의 문제로 객실에서 약식 대면부터 하게 되어 있었다. 휘운이 의아한 마음을 억누르며 쑥스러워하는 여자에게 양친의 별세에 대해 조심스럽게 관심을 표하자 나온 반응이 우선은 회피에 가까웠다. 자신이 이런 자리에까지 이르게 된 근본적인 원인이라도 되기 때문일까? 아니면 되도록 부정적인 사항은 언급을 삼가라는 별도의 지침이라도 받았던 걸까?

그럼에도 굳이 처음부터 그걸 물은 이유는 하정히가 아릿하게 마음을 끄는 구석이 있어서였다. 여리여리한 몸매에 예상 밖으로 조곤조곤 이곳 말씨에 어울리지 않게 구사하려 애쓰는 서울 억양. 막연히 휘운이 바라던 반쪽의 모습보다 더 실체적이었다. 한마디로 남쪽에서는 자신의 차지로 꿈도 꾸어볼 수 없는 상대였다. 이런 경우 신상 정보의 괄호는 숨김이 아니라 차라리 강조에 해당하리라. 그나마 비집고 들어갈 그녀의 뚜렷한 박막이 이것뿐이라고 생각한 건, 그러나 패착이었다.

"그렇다면 대학은 아무래도 그 최고 지도자 관련 건 때문에라도……?"

실수를 만회하려는 조급함이 더 큰 실수를 불러일으키고 있다고 뻔히 자각하면서도 휘운은 멈출 수가 없었다. 본심을 표현할 방법이 달리 없기도 했다. 이건 천연덕스럽게 돈 주고 구석진 모텔방에서 여자를 사는 것과는 완연히 다른 차원이었다. 현재의 제자뻘들은 아니더라도 과장해서 딸뻘은 됨직한 나이 차도 별로 거슬리지 않았다. 남남북녀 스쿼드 이 사람들이 큰소리를 친 이유가 이런 데 있었던 건가? 자신같이 흔해 빠진 홀아비 급의 노총각 처지에서는 마음에 들지 않을 구석이 하나 없어 보였다.

하지만 이것은 그 미미한 시작에 불과했다. 그날 밤 하정히는 처음 대답과는 딴판으로 너무너무 솔직하게 처신했을 터였다. 가히 창대하고 적나라하다고 말해야 할 정도였다.

"아이, 자꾸자꾸 답변하기 곤란한 질문만 하시고 정말로 얄궂으십니다. 기어코 말씀드리자면, 부모님 문제가 아니고 그놈의 통합 선언 때문이었지요. 하루아침에 전공을 써먹을 데가 없어져 버렸단 말입니다. 국경까지 봉쇄된 마당에 중국말은커녕 지어 로씨아말, 그러니까 러시아어를 누가 새로 배우려고나 든답니까? 하다못해 일어나 또 영어라면 모를까. 기 선생님께서는 그래도 최고로 대접받는 사회와 같은 통합 관련 교과시니 참 좋으시겠습니다."

난데없는 러시아어는 좀 그렇지만, 일어도 영어도 사회도 휘운의 전공이 아니었다. 그것은 오히려 본의 아닌 교직 포기생 하정히가 선망하고 있는 자격이기가 십상이었다. 그리고 통합이라는 감투도 분단 시절 남측의 흔히 통합사회나 통합과학 과목의 그 통합을 의미하지 않았다. 이곳에서는 남과의 통합을 위한 교육에 유용하게 쓰일 수 있는 교과, 이를테면 휘운의 전공인 국어나 예의 사회를 콕 찍어서 가리키는 말이 된 지 얼마쯤은 지나 있었다. 그러니까 민족적, 이념적 요소를 자연스럽게 녹여서 이른바 통합 세대에게 지속적으로 주입하는 정책 교과임을 공공연히 내세우고 있는 것들이었다.

"나도 일이 이렇게 될 줄 알고 진작에 국어교육을 선택한 건 아니고 집안 형편 따라 어떻게 하다 보니까 그리된 걸 가지고서는 뭘

그럽니까.”

그래서 운 좋게 당신 같은 여자도 만나게 되고……는 차마 덧붙일 수 없었다. 그건 진정 하정히를 위한 위로나 칭송이 아니었기 때문이었다. 그리고 그 선택은 자신이 갓난쟁이일 때 떠나버렸다는 이방인 생모의 몫까지 짊어지고 늙어간 아버지를 도저히 외면할 수가 없어서였다. 고향의 국립 대학이 아버지의 소득액과 휘운 성적표의 최대공약수였다. 그 덕에 비록 비정규직이기는 하지만 이 나이 먹도록 생계를 도모할 수 있었던 게 다행이라면 다행이었다.

“이건 생각하기 나름이겠지만……, 하정히 씨! 당신하고 나는 다른 듯하면서도 닮은 데가 있는 것 같지 않아요? 그것도 제법 많이.”

아이러니하게도 운이 좋은 게 맞을 수도 있었다. 이렇게 하정히를 만나볼 수 있도록 만들어 준 가장 큰 요인이 부모들에 있음을 부정하지는 못할 터였다. 그 점은 영민한 그녀도 이미 헤아리고 있는 눈치임이 틀림없었다.

“우리 친애하는 기 선생님! 그래 물으시면 제 심정이 무척 복잡하고 난처해집니다.”

곤난하고 각이한 입(출)경 련관 사업의 성과적 방조

- 강철 같은 보안을 담보하는 김민석 팀장

저녁 식사는 호텔 지하보다는 바깥으로 나가 야경을 즐기며 하는 편이 나을 것이라고 했다. 휴대폰의 안내 문자도, 하정히의 붉고 탐스러운 입술도 같은 얘기였다. 그러나 문자의 발신자는 객실의 테이블 아래로 명함 크기의 저 카드가 떨어져 있었다는 사실은 모르는 듯했다. 어쨌든 정신 사나울 정도로 길거리마다 흩뿌려져 있는 남쪽의 대출 홍보나 룸살롱 광고와는 어투부터 전혀 성질이 달라 보였다.

면담 내내 역시 카드를 못 보나 싶었던 그녀가 뒤따라 나올 때 능숙하게 집어 들어서는 얼른 핸드백 속으로 감추는 데에서 그 은밀함을 짐작할 수 있었다. 나 같은 방문객보다는 현지인을 대상으로 하는 뭔가 불법적이면서도 요긴한 서비스업일 테지. 그렇다면 자신과는 상관없는 일일 것도 같아서 더는 마음 쓰지 않기로 했다. 정확히는 거기에 마음을 쓸 여유조차 없었다.

호텔 부근 대기업 프랜차이즈의 패밀리 레스토랑과 토속적인 상호의 한정식집 중에서 홀 말고 조용한 방도 있을 것 같아 후자를 택했다. 거기에다가 메뉴는 온면 정식으로 하자고 권해 보았다. 휘운 나름대로는 소소한 원주민 우대 정책의 일환이라는 농담도 빼놓지 않았다. 실은 별말 없이 자신의 결정만을 바라는 하정히를 위한 배려였다. 그녀는 식사야 아무러면 어떠냐는 태도로 차분함을 잃지 않아 휘운을 더 흡족하게 해주었다.

"선생님! 우리 식사는 간단히 끝내고 요기보다 분위기 좋은 데에서 칵테루도 한잔하고 또 가라오께도 하러 가자요."

"하기는 어두워서 그런지 그 좋다는 경치도 잘 보이질 않고……. 그런데 저 짙고 검은 물결이 대동강이 맞긴 하지?"

풀코스가 아니라 온면과 만두 일품만으로도 자기는 배가 그득할 거라던 하정히는 외려 차수 증진에 진심이었다. 굳이 이 프로젝트가 지역의 소비 활성화라는 부차적인 효과까지 겨냥하고 있는지 판단조차 불가능했다. 보다시피 시시각각 둘만의 친밀도가 증가하고 있는 게 먼저이질 않겠는가? 그래서 휘운은 밀어 속삭임에 부적합한 칵테일바도, 어울리지 않는 인테리어의 노래방도 낯설어하지 않았다. 여자와의, 그것도 싱그럽고 매력적인 여자와의 밀착 데이트가 얼마 만이었는지 그것만이 가물가물했을 따름이었다.

민감한 경야체험을 비롯하여 파트너와의 이견 발생 시 저희 NNBN 소조 요원들이 신속하게 출동하여 최대한 합리적으로 해결해 드리고 있습니다. 계속해서 모쪼록 행운의 방문을 즐기시기 바랍니다.

하정히와의 경야經夜? 그러니까 함께 밤을 지새우느라고 뒤늦게 새벽에야 확인한 내용이었다. 어젯밤 약속한 데이트 스케줄도 다 소화하고 일단은 그녀와 작별해야 할 즈음이었다. 이대로 돌아갈 숙소가 먼가, 내일 다시 만나게 되는 건가, 계속 묻기를 망설였는데 그녀 역시 뭔가를 머뭇거리고 있기는 마찬가지였다. 나중에 알고 보니, 그것은 휘운이 궁금해하는 바들을 깔끔하게 정리하기 위함이었다. 맞다! 하정히는 삶의 근원적인 문제 가운데 중요한 한 가지를 해소해 주기 위해 다시 휘운을 따라 들어왔다. 그러고는 밤새 최고의 노력으로 최선을 다하였다. 그냥 최고와 최선이라기에는 조금 애처로운 감마저 없지는 않았다.

"이거는 뭐 밥벌이가 송이라고 했더니만 그것도 송이인 줄 아는 거야? 도대체가 첫날밤부터 사람을 어떻게 보고……."

그래서 자칭 송이쟁이 유덕만의 볼멘소리가 우렁우렁 울려와도 내다볼 염도 틈도 없었다. 밋밋한 파장으로 침착하게 응대하는 목소리의 주인공이 젊은 여자가 아니어도 마찬가지였다. 같은 꼭대기 층이긴 하지만 대여섯 칸 정도 떨어진 호실로 별문제 없이 배정된 걸로 알고 있었는데? 자신처럼 파트너가 이들이 말하는 민감한 경야체험에 민첩하게 응하지를 않아서 생긴 불만의 표출이려니 여겼다. 아울러 소란이 그리 오래가지 않은 이후의 정황으로 미루어 잘 해결됐으려니 싶었다. 바로 저 문자가 그걸 뒷받침하고 있질 않은가.

어찌 되었든, 유덕만의 말마따나 자신이 여기에서는 상대적으로 남자로서 그리 나쁜 조건이 아닌 모양이었다. 다 떠나서 휘운은 첫 방문에 하정히 같은 파트너를 만나게 된 것이 참으로 행운이라 다시 한번 끄덕이지 않을 수 없었다.

아하, 기휘운 선생! 그만 기운을 내셔서 점심부터 드셔야지 않겠습니까. 그런데 오늘 어떻게 파트너 교체에는 동의하시겠습니까? 정 아니시라면……

눈을 떠보니 하정히의 서툰 나신은 곁에 없었고 그나마 늦잠을 깨운 내선도 그녀의 목소리가 아니었다. 채 덜 깬 잠결에도 어젯밤의 그 단조로운 주파수임이 아마도 확실하였다. 마치 너희 둘 사이에 무슨 일이 있었는지 다 들여다보고 있었다는 투의 능글거림에 휘운은 그의 제안을 단호히 거절하였다. 가뜩이나 교체란 용어의 어감이 송이쟁이 유덕만과 서로 여자를 맞바꾸는, 그래 진짜 파트너 스와핑처럼 받아들여진 거부감도 있었다.

"선생님! 좋은 시간 보내시는데 어젯밤에는 시끄럽게 굴어서 죄송했습니다. 굳이 안 그래도 된다는데 극구 몸빵을 하려고 드니 제가 좀 오바를 했지요. 그러지 않아도 미리 선물을 잔뜩 안기고 그랬는데도 무슨 할당이나 수당이 더 있는 건지 걔가 자꾸 따라 들어오려고 해서요. 어디서 내가 공짜 여자에 이골난 저 여인숙 치들도 아니고……."

호텔 식당에서 마주친 유덕만은 천생 자연인답지 않게 이 선을 넘는 만남의 치명적인 작동 원리를 꿰뚫고 있는 양하였다. 결국은 돈! 이리라는 것이었다. 가히 천문학적이라는 통합 비용의 한 부스러기가 여기서 이렇듯 콩가루가 되고 있다는 것이었다. 사실이 그렇다면, 당신은 도대체 왜 여기에 이렇게 서 있느냐고 묻고 싶었다. 그래서 장차 뭘 어쩌자는 셈이냐고 따지고도 싶었다. 정말 그랬어야 했나? 그러지 않은 것이 차라리 나았을까? 휘운은 그때 하정히를 다시 만나보는 것이 더 본질적이라고 믿었기에 그에게 아무런 말도 건넬 수 없었다.

남남북녀—남남북남이나 남녀북녀는 아직 망측스러우니 좀 그렇고, 아마 드물긴 하겠지만 남녀북남도 마찬가지가 아닐까는 싶다.—가 대망의 세대 조직에 성공하게 되면 주거와 직장을 제공받는다. 주거는 임대지만 직장은 정규직이다. 단, 함경도나 자강도, 량강도와 같은 다소 외진 지방으로 배치될 공산이 크다. 그것도 북측 사람에게는 정규직 승격의 혜택이 주어지지 않는다. 그렇게 최장 십 년을 북에서 살아야 한다. 가끔 부부 동반의, 혹은 가족 동행의 남측 방문은 가능하다. 뒤의 경우처럼 2

세가 있으면 인당 한 해씩의 단축 혜택이 주어진다. 그 밖에도 가령, 크게는 통합과 관련해서 혁혁한 공을 세운다든가, 작게는 관계 당국이 공인하는 자격이나 학위를 취득한다거나 하면 추가로 혜택을 볼 수도 있다. 하지만 다시 한번 가장 확실한 수단이야말로 출산이다. 그래서 남남과 결혼한 북녀들은 최대한 아이를 많이 가지려고 별의별 수—정상적인 임신이 불가능하다면 시험관 아기나 정자 기증은 물론이거니와 외간 남자와의 은밀한 교접도 불사한다는 남사스러운 풍문까지 돌고 있다.—를 다 쓴다. 정부로부터 적지 않은 생활 지원금까지 받으면서도 이러는 이유는 오직 하나, 최대한 빨리 남으로 입경하기 위해서이다. 그곳에서 소위 밀월 나부랭이들과는 비교도 안 될 경제적 안정에 합법적인 지위까지 보장받으며 새로운 삶을 설계해 보겠다는 것이다. 그러니 각종 편법을 동원하여 신속한 남행을 돕는다는 음성적인 브로커까지 생겨나지 않았겠는가?

이 심대한 통합의 시대를 령리하게 헤쳐나갈데 대한 방안을 선생님께서 료해하기 용이하게 제가 상세히 론의하겠습니다, 이러고 시작하지는 않았다. 기래서 젊디젊은 저 하정히가 이렇게 연로하신 기휘운 아바이와 이틀씩이나 함께하고 있는 것입네다, 라며 끝맺지도 않았다. 혼자서 파닥거리다가 제풀에 지쳐 바로 곁에서 잠들기 직전까지 단편적으로 내비친 그녀의 로데이터인지 빅데이터인지를 임의로 분석, 종합 해본 것이다. 이것은 비단 그녀와 휘운 사이만의 기이한 사연도 아닐 터였다. 다들 짐작하다시피, 중독성 강한 경야 체험 조장자인 저 남남북녀 스쿼드를 비롯하여 우리 사회 전반을 가르는 불균형한 단면일 수밖에는 없었다.

“저게 다 옛날 제철소 때문인가? 잘은 몰라도 더 이상 기수역은 못 된다고 해도 저 정도는 아닐 텐데…….”

다국적 체인 커피점에서 다시 만나 기어이 패밀리 레스토랑에서 저녁을 먹고 분명 두 번째 밤을 보내기까지 했다. 북녀인 하정히와 남남인 자신이 이런 식으로 맺어질 수는 없다는 생각이 들었다. 하지만 어쩌겠는가? 고운 목선이 왠지 더 허전해 보이는 그녀를 위해 명품 실크 머플러를, 거기에다가 다소 야한 연출의 속옷 세트까지 선물이랍시고 안길 수 있었던 것이 그나마 다행이었다. 당장 다음 주말부터의 경야체험에 휘운 말고라도 누구한테든 써먹을 수 있을 테니까. 아! 최신식 종합쇼핑몰 여성 코너 밖으로 내비치는 대동강 물인가가 한낮에도 검푸르게 흘러야 하는 이유를 실없이 묻지만 않았더라면 좋았을 것을…….

“남녘 인사들은 참 이상합네다. 왜 온갖 걸 다 옛날 탓으로 돌리려고만 듭네까? 꼭 우리 부모님 건 때문만은 아니더라도 분단 시절 있었던 일들을 자기들이 먼저 일떠서서 밝혀도 서로 마음 모아 통일하자는데 턱없이 모자랄 판국에 자꾸 가리고 감추려고만 드니 말임다아!”

뭐, 감쪽같이 보이질 않는다고? 왠지 한동안 잠잠하다 했다. 어느새 그 분자들과 접촉이 됐을 줄은 몰랐었다고? 어쩐지 경야도 결혼도 일없다는 투더라니만은. 아, 내버려 둬! 채무 관계도 범죄 혐의도 깨끗하다면서? 그러다 잡히면 잡히는 거고, 또 살면 그냥 사는 거지. 설마하니 산골짜기 깊숙이 처박혀서 죽기야 하갔어? 우리야 단독이나 우발적 정착으로 올려도 똑같이 반은 나오는 거 아니냐고……

어제 늦잠을 깨웠던 그 목소리가 다시 맞는다. 여전히 능글맞기 이를 데 없기 때문만은 아니다. 게다가 유선상으로도 아니고 또 휘운을 겨냥한 것도 아니다. 심지어 자신은 잠들어 있지도 않았다. 새벽 일찍 하정히가 짐을 챙겨 편히 떠날 수 있도록 잠시 자는 척했을 뿐 체크아웃이 임박한 이제껏 뜬눈이었다. 그런데도 유덕만이 사라지는 낌새를 절대 눈치챌 수는 없었다.

그가 여기서도 명성을 떨치고 있는 김민석 팀장의 방조로 소위 곤난하고 각이한 입(출)경 련관 사업—이 경우야말로 괄호의 기능은 드러냄이 아닌 본연의 은폐이리라.—을 성과적으로 보장받아 몰래 숨어들 곳이 예의 동북 지방일지를 곰곰이 따져 볼 뿐이었다. 별명대로 실컷 송이라도 따서 먹고살려면 소월의 저 악명 높은 삼수갑산쯤은 되어야 하질 않나? 생각하다가 참으로 솔직한 유덕만이 자신보다는 천 배 만 배 부러운 사람이라며 그만두어 버렸다. 또 모르지? 어디서 망측스럽게 남남북남 짝을 이루어 천년만년 그 귀한 버섯이고 뭐고 지지고 볶을지도.

※※※SEE※YOU※AGAIN※KYOMIPO※HOTEL※※※

이십 년 이상을 국어의 로마자 표기법에 정통한 휘운으로서도 납득이 잘 되질 않는 겸이포 부분 말고는 스펠링이 잘못된 곳은 없다. 당연하질 않은가? 초등생도, 아니 아직은 입경 전이니까 초급학생도 틀릴 수 없는 쉬운 단어들이다. 뜻도 그렇다. 그러나 휘운은 왠지 이 빤한 문장이 영 마뜩잖았다. 내가 다시 호텔이고 대동강이고, 그리고 하정히고를 볼 일이 있을까? 다행히 혼자 한갓진 남행 버스에 올라 상념 속에서 헤매야 하는 시간은 그리 길지 않았다.

"생판 초짜 주제에 잠적해 버린 통일 유령이 또 나왔다면서?"

"말 가려서 해! 누구처럼 막연한 통일이 아니고 내실 있는 통합이라니까. 그건 그렇고 경야체험을 거부한다고 했을 때 벌써 눈치 챘어야 하는 거 아냐?"

"하아, 남남북녀 이 사람들 경야는 무슨? 속칭 긴 밤이고, 좋게 말해서 원 나잇 스탠드지!"

유덕만식의 명명으로는 기껏 '송림 여인숙'에서 올라탄 일행은 눈 아래 다크 서클이나 부르튼 입술로 미루어 꽤 초췌해 보였다. 하지만 얼굴의 개기름만큼이나 입들은 걸었다. 염불에는 맘이 없이 주말의 이 무임승차를 즐기는 데 닳고 닳은 축들이리라. 주제에 들으면 들을수록 괄목상대랄까? 점입가경이랄까?

"이참에 온종일 호텔에 틀어박혀 뒹구는 대신에 뭐 좀 건전한 거 없나?"

"여기 인프라가 받쳐줄는지 모르겠지만 라운딩 어때? 어차피 눈먼 돈으로 우리 에미나이들한테도 콧바람을 찐하게 불어넣어 줘야 통합이건 통일이건 될 거 아니냔 말야?"

"돌아가면 당신이 압력을 좀 넣어요. 대표는 그러라고 뽑아 놓은 거니까?"

휘운은 방금 지나쳐 온 대동강 물빛이 서울의 한강과 그리 다르지 않았다는 생각에만 집중했다. 그새 무슨 변화라도 있었던가? 아니면 몇 번 봤다고 눈에 익어서 그런 건가? 이런 식이라면 호텔

로비의 인사말도 틀린 게 아닐 수 있었다. 다음번에도 자신이 하정희를 지목하면 거기 다시 묵을 수 있을지도 모른다. 휘운은 그녀를 보자마자 이것저것 묻고 따질 겨를도 없이 이른바 깍데기부터 벗기고야 말 것이다.

버스를 타고 지나친 것은 대동강뿐만이 아니었기 때문이었다. 저들 식이라면 투 나잇 스탠드의 귀한 인연에 배웅이라도 하려고 다시 돌아왔을까? 쇼핑몰 여성 코너 안에서 하정희는 교환을 원하는지 환불을 요구하는지 속옷 세트를 내려놓고 있었다. 보기에 따라서는 당당히 큰소리를 치는 것도 같았고 비굴하리만큼 애원하는 것도 같았다. 이도 저도 다 떠나서 우선은 그런 그녀를 만났었다는 사실을 감쪽같이 숨기고 내일 다시 일상으로 돌아갈 수 있다는 게 휘운으로서는 안심이었다.

그것은 차라리 현재보다는 더 먼 현실로 스며드는 길이었다.

어떤 이중과세

공교롭게도 제주도의 처가 쪽으로 행사가 겹쳤다, 코로나도 아닌 오로라로 아이슬란드에서 자발적 억류 중이다, 이런저런 사정으로 올 설은 남매가 다 빠지게 생겼다. 모처럼 둘이서만의 차례상 준비를 그럭저럭 끝마치고 난 늦은 오후였나. 해끗해끗 눈발과 함께 느닷없이 들이친 손님 아닌 손님을 가까스로 치르고 나서도 송 원장은 자꾸만 딴전을 피웠다.

구체적으로 그 근거를 대라면? 예로부터 오늘 같은 음력 섣달그믐을 기념하여 까치설이라고도 하고 아찬설이라고도 한다는 민속 저널 식으로! 사모는 어릴 적부터 까치설은 알고 있었지만, 이 나이 먹도록 아찬설은 가물가물했다. 아찬설도 잘 아는 송 원장은 가물가물한 게 정작 따로 있었나 보았다.

"세배라는 걸 해본 적이 거의 없었지, 아마?"

부차적인 '아마'는 그렇다 치고 무덤덤한 척, '라는 걸'로 정점을 찍은 초반 러시와 '거의'의 조합은 애매했다. 차라리 '단 한 번도'였다면 뒤로 가며 힘이 빠지지는 않았을 것이다. 그래서 외려 송 원장의 말이 과장이 아니라 진실에 가까워 보인다는 점은 차치하고

서라도 그랬다. 그것 때문에라도 필생의 반려인 사모가 나서서 조금은 거들어 주어야 하였다.

"세상에, 내 주변에서 이런 세배를 받아본 사람은 단 한 명도 없어. 명색이 시이종간에 그것도 촌수도 헷갈리는 동생 내외한테서라니! 하기는 동서라는 그 애가 우리 지유보다도 더 어려 보이긴 했지?"

진작에 제 나라에서 전통 혼례의 절차는 갖추고 데려왔다고는 했다. 형님에게, 그리고 형수님께도 경우가 아닌 것 같아서 명절 전 '각중에' 인사차 들렀다고도 했다. '역부러' 서울 코앞까지 올라온 김에 아버님이나, 아니 부모님이나 다름없으신 분들이시니 함께 세배를 꼭 드려야겠다고 고집을 부렸다. 희끗희끗한 구레나룻에도 아직 우리 나이로 마흔은 안 된 새신랑이었다. 사모는 남자보다 띠동갑은 훌쩍 넘어 보이는 여자애가 차라리 덜 미심쩍었다.

"나 알아요! 세배! 이러게 한는 거……?"

말보다 어색한 몸짓으로 제 남편을 따라 하려는 여자애에게 송원장은 미소를 흘렸다. 정말 시아버지나 마찬가지라고 생각하는지도 몰랐다. 말도 되지 않는 오버에다 난센스였다. 자기 딴에는 유머라고 오만 원권 몇 장을 급히 꺼내어 흔들기조차 하였다. 자기 아이들 앞에서는 보이질 않던 행동이었다. 그래서였을까? 조금 놀란 듯한 여자애는 처음에는 거절하다가 괜찮여 받어, 응언! 하는 남자의 말에 엷은 웃음과 함께 받아들였다.

"흔해 빠진 응우옌이라는 성씨보다는 응언이라고 지 혼자 이름을 불러주면 더 좋아해유. 아마도 한자로 여기처럼 금잔화, 은잔화

할 때의 은이라는 원래 뜻 때문에 이렇게 성님께 세뱃돈도 받게 되구…….”

팔촌인가 육촌인가라는 시동생은 지들 나라 같았다면 정반대라고 했다. 뭐가 반대냐는 송 원장의 물음에 우리처럼 거기에서도 설을 쇠기는 하는데 어른들께 빨간 돈 봉투를 드리는 게 풍습이라고 답했다. 그러면서 제발 우리 복덩이 응언 덕분에, 그리고 무량하신 형님 은덕에 새해부터는 돈이 뻘건 대추나무에 연 걸리듯 주렁주렁 열렸으면 좋겠다고 묻지도, 더욱이 적절하지도 않은 말까지 덧붙였다.

사모는 이 어려서부터의 철부지 시동생 자리가 다 늦어서 그리려는 그림이 비로소 눈에 들어왔다. 송 원장이 상의 한마디 없이 시골에 마련해 놓은 땅에다가 경비과 일품이 수월찮다고 들었던 특산 작물 재배. 그것은 송 원장 없이는 실현 불가능한 사실적인 생활의 풍경화일 것이었다. 그리고 또 다른 인물 하나가 저 멀리서 도사리고 있기에 가능했을 스케치였다.

“지가 성님께서, 특히나 우리 형수님께서 더는 늙으신 시어른 걱정 안 하셔두 되두룩이 참말로 잘하겄습니다. 그래서 특별히 야랑 결혼까지도 한 거구유. 우리 애가 나오는 올가을에 손이 많이 딸리게 되문 도와주겄다는 친구들이 벌써 나래비를 섰어요오. 응언! 너 고향에 아는 사람 많다구 했쟈? 그렇지?”

표준 발음도 아닌 의문문을 제대로 알아들었는지 아니면 눈치껏 분위기를 맞추려는 건지 여자애는 고개를 끄덕이며 이번에는 크게 미소를 지어 보였다. 반면에 송 원장은 어둡고 무거운 표정을 겨우 들어 그들 너머로 눈길을 돌렸다. 먼 과거로 거슬러 올라 숨어들 곳이라도 찾는 것일 수 있었다. 어쩌면 태어나지도 않은 손자뻘 조카가 온전치도 못한 나라에서 맞이해야 할 불확실한 미래를 상상하는지도 몰랐다.

"그렇게 아는 사람도 많다는 외아들 내외분이 계시는데 형님께서? 그것도 하도 여러 다리를 건너 촌수도 흐린 처지에 무슨 걱정을 하시겠어요?"

언제부터인가 입까지 다물고 있는 송 원장을 대리해서 사모가 분명히 해주었다. 하지만 소용도 없는 일이라는 건 잘 알고 있었다. 사모가 알지 못하는 사이에 이미 시작된 일이었다. 잊을 수 없었던 그의 메마르고 텅 빈 표정에 또다시 가슴 한구석이 서늘해져 잠시 열을 낸 것뿐이었다. 송 원장은 그런 사모의 마음을 아는지 모르는지 그때와 별반 다르지 않은 한마디를 웅얼거렸다.

"이제라도 내려가서 당장 그 양반한테 세배를 올렸어야 하는 건데……."

*

구정 늦은 오후의 서울 한복판 본교 캠퍼스. 그중에서도 중앙도서관 열람실은 단 한 개만이 개방되어 있었다. 그때는 민속의 날이라는 절묘한 명칭의 법정 공휴일로 지정되기도 전이었다. 그래도 온 겨레의 명절은 명절인 모양인지 실내는 한적하기만 했다. 오전에만 잠깐 스팀이 들어왔었는지 난방도 시원찮기만 했다.

그런 와중에도 듬성듬성 앉아 있는 학생들 가운데에서 그의 광채가 선연히 눈에 들어찬 것은 의외였다. 분명 새벽 첫차로 고향에 내려갔다고 들었던 것 같았는데. 두세 열쯤 떨어져서 전공원서에 파묻혀 있는 그의 뒷모습을 지켜보며 그녀는 가슴 한쪽 귀퉁이가 자꾸만 철컹 내려앉는 느낌이었던 게 더 의외였다. 갈수록 썰렁하게 식어 내리는 체감 온도 탓만은 아니었다.

명절날 하루 종일 이어지는 친인척과 지인들의 방문이 성가셔서 일 핑계로 도망쳐 나온 것을 들킬까 염려하여 스스로 그리 느꼈을 리는 없었다. 석사 과정 지도교수가 새 학기 개강에 맞추어 출간할 예정인 최신 편역서의 막바지 색인작업 거리를 단단히 챙겨 들고서 나왔으니 말이다.

여자가 진작에 대학을 마쳤으면 적당한 혼처로 골라잡아 시집이나 가라는 시대착오적인 망발로부터…… 이 시대, 이 땅의 여성으로서 선이 굵고 멋들어진 그런 분야를 전공한다니 내친김에 교수나 고시에까지 도전해 보라는 오지랖에…… 그럴 거라면 차라리 유서 깊은 컬럼비아나 하버드가 있는 동부를 노려보는 건 어떻겠느냐는 괜한 소리까지…….

신촌 벽두부터 그녀를 휘감고 도는 스펙트럼은 참말 다채로웠다. 실상 결혼도 취업도 유학도 썩 내키지 않아 궁여지책 대학원으로 도피한 그녀에게는 황송하고도 과분한 관심이었다. 그것은 이 년 가까이 한 지붕 아래에서 생활해 온 그로서도 감히 먼저 내보일 수 없는 장벽 밖의 것이었다.

"어머, 송 선생! 벌써 고향에 내려갔다 온 거예요? 그리고 저녁은 어떻게 할 생각인 건가요?"

창밖을 맑은 어둠이 가득 채울 때까지도 그는 앉은 자리에서 일어설 줄을 몰랐다. 참다못한 그녀가 먼저 다가가서 아는 체를 하자 거기 있었다는 걸 다 안다는 듯 침착하게 반투명의 비닐봉지를 가리켰다. 총장님 면학 격려품. 이미 격려와 면학의 효력을 다한 카스텔라와 딸기우유였다. 그녀는 도서관 출입구에 쌓여 있던 하얀 무더기를 흘깃 스쳐 지나온 생각이 났다. 그래서, 겨우 저걸로 그 큰 키가 온종일 버티겠다고?

"제 고향이 바로 서울인데 내려가고 말고 할 게 어디 있겠습니까? 그리고 여기 친가는 신정에 벌써 다녀왔고요. 오늘은 원래 시골 외가에 잠시 들러야 하는 날인데 올해부터는 사정이 생겨서 그러지 못하게 되었습니다, 좀!"

"나, 지금 무슨 말인지 하나도 모르겠어요. 송 선생, 알아듣기 쉽도록 좀 친절하고 자세하게 말해 줄래요? 근데……, 속도 허전하고 하니 우리 일단은 배부르고 따뜻한 곳으로 나가죠, 쫌!"

흔히 송 선생이라 불리던 그는 그녀의 집에서 비밀리에 고용한 입주식 과외교사였다. 서슬도 퍼렇던 저 80년대 초 신군부 세력의, 이름하여 교육정상화 및 과열과외 해소방안, 그 삼엄하기 이를 데 없는 사교육 전면 금지 조치를 비웃기라도 하듯이 말이다. 사실 현재 가진 직업이나 소지 자격증이 교사는 아니었다. 당시 거의 망나니급이었던 그녀 동생의 학업과 생활 관리를 전담 마크할 특수 요원? 같은 학교 의대 본과생 정도로 들어 알고 있었다.

지금은 작고한 그녀 아버지는 추석을 비롯한 명절에도 당일에만 집에 다녀올 정도로 성실한 사람이라고 했다. 조심조심 알음알음 어머니 쪽 회원들의 몇 다리 건너 소개로 어렵사리 모셔 올 만큼 여러모로 실력도 뛰어나다고 했다. 그래서 사고뭉치 이 녀석이 고등학교에 올라와서는 뜸하다 못해 아예 조용해진 건가?

그는 현관 들어서자마자 계단을 타고 오르면 그녀의 방과 동생의 방이 거의 다 차지하고 있는 위층에서 더부살이 중이었다. 거기 위층에서도 가장 깊숙이 화장실과 대치 중인, 그리고 면적까지 난형난제인 골방에서였다. 그 옹색하면서도 휑뎅그렁한 공간으로 동생을 불러들여 장시간 수업을 할 뿐 방 밖 출입도 드물었다. 이미 중학생 때부터 그곳의 임시 거류자들을 몇 차례씩이나 갈아치운 녀석이었다. 그런 애가 고분고분 제시간에 제 발로 찾아와 꼼짝도 하지 않고 버티도록 만드는 것도 그 뛰어나다는 실력 가운데 하나인 모양이었다.

그런 그나 그렇지 못했던 그녀나 복도와 아래층 식당에서 간혹 마주쳐도 가벼운 묵례가 서로 간에는 최대치였다. 하지만 그날 도서관에서 곰곰 생각해 보니, 적어도 그녀에게만은 그것이 억지로 버틸 수 있는 한계가 아니었다. 그녀는 집에서도 그의 성큼성큼 휘청이는 듯한 걸음걸이를 되돌아보곤 했었다는 사실을 인정해야만 하였다.

“어려울 것 하나 없이 아주 간단해요. 공직자가 많은 친가에서는 양력설을 고집하고 있고, 그렇지 않은 외가에서는 원래대로 설을 쇠었던 셈이죠. 저는 친가에서는 장손이었던 아버지의 차례를 같이 지내고, 또 외가는 돌아가신 어머니 대신으로 누구를 좀 만나기 위해서 내려갔었던 것이고요.”

"어, 그러면 송 선생은 명절을 두 번씩이나 지낸단 말예요? 어릴 적부터 세뱃돈도 두 배로 받을 수 있고……, 참 좋았겠다!"

이랑과 고랑의 구분이 무색해진 코듀로이 콤비를 걸치고서도 진중? 신중! 어쨌든 그가 최고급 호텔 레스토랑에서마저 빛나 보여서 범한 일생일대 돌이킬 수 없는 실수였다. 어쩌면 다소 늦은 저녁에 그녀 혼자서만 연달아 곁들인 선홍빛 와인 탓이었을 수도.

아무리 친가 외가 따로따로 지낸다는 설이라지만 세배를 각기 두 번씩이나 할 리는 없었다. 게다가 연초부터 돌아가신 부모 때문에라도 두 군데를 빠짐없이 찾아다녀야 한다면 그는 천애의 고아나 다름없었다. 명절이라 마땅히 문을 연 곳이 없을 거라는 그녀의 변명에 마지못하여 이끌려서 들어왔나? 내내 어색하고 불편해하는 그에게 한순간만이라도 솔직해져야 그나마 인간적인 도리일 것 같았다.

"나 먼저 일어설 테니까 송 선생은 천천히 그 병 다 비우고서 프런트에 메모해 놓은 대로 해요. 룸에서 함께 바라다보는 우리 둘의 고향인 서울 야경이 그리 로맨틱하지는 않겠지만……."

그녀는 그날만이라도 아무런 맥락도 없이 그에게 그래 주고 싶었다. 그가 끝내 이 어색과 불편을 감수할 용의와 용기가 없다면 그건 그녀로서도 어쩔 수 없는 일이었다. 그러나 그는 그녀의 우려나 초조와는 달리 아주 약간만 늦어서 객실의 문을 두드렸고, 참으로 여유롭게 그녀를 로맨틱 이상의 능숙한 경지로 이끌었다. 아무리 재수까지 했어도 분명 한 학번은 선배인 그녀의 몸놀림보다도 확실히 윗길이었다.

밝아올 녘에 마지막으로 자신에게서 떨어져 나온 그를 뒤에서 끌어안으며 오늘 여기까지 따라 올라오길 정말 잘했다고 속삭여 줄 참이었다.

"이제라도 내려가서 이 세상에 하나밖에 없는 우리 엄마의 마음과 몸을 대신 꼭 얼싸안아 주었어야 하는 건데……."

그때 그가 창밖 멀리 산산이 흩어지는 어둠을 무채색 표정으로 혼자 내다보며 허공에 뿌려댄 참으로 불완전하고도 불명료한 숙박료였다.

*

그녀가 직접 운전해서 충청도의 멀지 않은 소읍으로 함께 내려가는 새빨간 포니 엑셀 안에서 자신은 그렇게까지 고아가 아니라고 했다. 비록 부모님 두 분이 다 돌아가셨어도 그런대로 친가도 있고 더더군다나 엄연히 외갓집 어른도 있는데 어떻게 고아일 수 있겠느냐고 되묻기조차 하였다. 지금 인사를 드리러 가는 사람이야말로 진정한 의미에서 고아라고 단단히 못을 박기 위해서였을까? 그것도 말로만 듣던 해방 난민에 전쟁고아 출신이라는.

그녀는 서울에서 올림픽이 열리던 그해 가을에야 대학병원 수련의 신분의 그와 결혼할 수 있었다. 역대 최대 규모의 올림픽이니 아주 길하다는 숫자가 연달아 겹친 연도니 하는 것들과는 상관없는 일이었다. 아무리 모르는 척 참아주려 해도 여자가 만 나이로도 서른을 넘기게 할 수는 없다는 부모님의 강력한 의지가 작용한 결과일 뿐이었다. 그는 진작에 받아들인 청혼을 그녀를 위해 그런다며 최대한 늦추려고만 들었었다.

"정말 잘 됐습니다. 저 대신 우리 송 선생님을 좋아해 주셔서 고맙습니다. 그리고 앞으로도 잘 부탁드립니다."

바로 전 그의 친가에서도, 그리고 아직껏 그녀 부모에게서도, 심지어 동생한테서마저 들어본 적이 없는 덕담이었다. 일단은 둘의 결연을 이렇게 정중하게 축복해 준, 어쨌거나 간에, 피붙이는 여태까지 없었다. 그녀는 초면에 이 여자가 어디선가 들은 대로 한때 유행하던 키치적 박래품인 '혼네와 다테마에[本音と建前]'의 계승자는 아닌가 하는 심증을 잠시 품기까지 했다. 왠지 아련한 것만은 아닌 남자의 익숙한 손때를 애써 가리려 한다는 여자로서의 타고난 촉 때문에라도 그랬었나?

나중에 스스로 확신하건대, 잠시 흔들리던 의혹은 정말로 한때뿐이었다. 그건 무슨 거창한 생득적 기질 따위의 문제가 아니었기 때문이었다. 흔하디흔한 인생살이 서글픈 신파극이라는 걸 금세 알아차릴 수 있었다. 그만큼이나 맥이 탁 풀려버리는 허깨비가 아니라 실제로 몸과 마음이 맞부딪치는 실전의 산물은 아니었을까? 이 아연함은 그날 저녁의 청량, 처량했던 방망이질 배경음처럼 철렁철렁, 그녀 마음속 깊은 곳에서 지금도 그 힘을 잃을 줄을 몰라 하고 있었다. 때마침 오늘 시동생뻘 내외의 느닷없는 신행 건처럼.

"아빠, 아빠아? 아부지, 아부지이!"

그녀가 채워준 지갑에서 되는대로 꺼내 쥐여준 크고 작은 액면의 지폐 쪽들을 하나라도 놓치지 않으려고 발버둥이치는 조막손질의 발가숭이. 또래에 비해 말도 더디고 행동도 굼떠서 당장 놀이방도 장차 유치원도 보내지 못할 형편이라는 어린 시동생이었다. 그 아이가 호적상 친부의 얼굴을 미처 다 익히기도 전에 싱글맘의 신세가 되어버렸다는 여자가 당연히 그의 이모님이라는 사람이었다.

그들 커플보다 열댓 살 안팎으로 연상일 여자는 그 숫자보다 훨씬 더 늙어도 젊어도 보였다. 그리고 그 계량할 수 없는 수치만큼이나 그에게 애매한 거리를 유지했다. 그건 중고등학교 시절 그의 교육과 생장을 도맡았다는 헌신에서 기인하는 것만은 아닌 듯싶었다. 그것이 그녀에게마저 일정한 지분을 주장하고 있는 것으로 받아들여졌다.

그가 첫 신혼집으로 고집한 반전세 연립을, 그리고 이후 공보의 시절의 보건지소 관사를 모두 대궐로 착각하도록 만들기에 충분했던 단칸방 살림. 해마다 빼놓지 않고 내려와서는 어김없이 제대로 명절을 챙겼는지조차 의심스러울 지경이었다. 그녀는 전에 그가 싸늘하게 식어가는 도서관에서 말했던 무슨 사정이라는 게 이 여자의 결혼인지 출산인지, 혹은 둘 다인지, 아니면 그 이상인지 곰곰 따져 보았다. 틈만 나면 입에 올려버릇하던 외가의 실체가 적나라하게 드러날수록 움츠러드는 것은 이렇듯 그녀 자신이었다.

때마침 휑한 공간과 분위기를 메우기 위해 켜 두었던 흑백 TV의 올림픽 폐막식 공연. 그 가운데 클라이맥스였던 장중한 다듬이질의 효과음이 그녀의 두 심장을 번갈아 마구 두들겨 대었다. 그것은 이 여자가 그녀 가족처럼 이 결혼의 장애물도, 그의 친가처럼 방관자도 될 수 없다는 강렬한 박동이었다. 여자는 조카며느리뻘에 불과한 그녀에게 정중한 인사치레 모양 기꺼운 지지자는 아니었다.

지금 당장부터, 그리고 먼 앞날까지도 내내 상대하기 버거운 실존적 경쟁자일 듯했다. 무엇보다도 그녀가 그를 간절히 원하고 있었고, 앞으로도 변함없이 원할 것이기에 그랬다.

"그분들 말씀이 순 거짓이나 과장은 아니었던 것도 같은데?"

"그분들이라니, 누구? 우리 이모님 말고 오늘 그 집에 누가 더 있었던가? 당연히 애는 아닐 테고……."

빈말인지 진심인지 내일도 개천절 쉬는 날이니 불편하고 부끄러운 형편이지만 하룻밤 묵고 가라는 여자의 간청을 단호하게 물리쳐야 했다. 그리고 밤늦게 서울로 돌아오는 어둠 속에서 그녀가 불쑥 꺼내든 말이었다. 그녀에게는 오늘 겪은 여자보다 그전에 만났던 그의 친가 쪽 사람들이 더 가깝게 다가왔다. 그의 일관적이었던 거리감과는 상반되는 것이었다.

"오죽했으면 때마침 주렁주렁한 사촌 동생들 세배도 못 하게 했겠니? 그게 다 넉넉지도 못한 가용을 덩달아 풀어낼 수는 없었을 너와 형수님이 마음 상해할까 그런 거였는데……."

그녀가 직시한 친가 사람들은 그가 천신만고 의사가 되었다는 성공 신화에도, 그리고 알려고만 들면 알 수도 있는 집으로 장가까지 든다는 다소 경이로운 현실에도 무덤덤한 편이었다. 자신들이 거기에 표나게 이바지한 바가 없기에 당연히 취할 태도라고 그녀는 이해했다. 하지만 언뜻언뜻 아쉬운, 그게 아니라면 서운한 심정을 표출하는 것까지는 용납하기가 어려웠다. 같은 하늘 아래에서 내버려진 듯 지내왔던 그의 학창 시절을 보았기 때문이었다. 아니 그에게서 듣기만 했기 때문이었나?

"우리 동기간끼리는 한 해씩 번갈아서라도 너를 거두고 잘만 하면 얼마든지 공부까지 시킬 작정이었다. 그건 네 엄마가 죽기 전에 서로 얘기가 다 끝난 거였어. 어디서 난데없이 뿌리도 핏줄도 밥벌이도 모조리 미덥잖은 나어린 사돈이 불쑥 나서서 자기가 그 짐을 대신 떠맡겠다고 하도 고집을 피워대니 그렇게 하지 못했을 뿐이었던 거지만……."

실현되지도 못한 일이었으니 엄연히 제삼자인 그녀가 그 진위를 확인할 길은 없었다. 다만, 신정과 구정의 법적인 지위가 역전된 뒤에도 그의 친가는 오랜 세월 양력설을 쇤 것으로 알고 있다. 세무직 특유의 경직되고 보수적인 분위기 속에 그래도 그가 해마다 한 번쯤은 깃들 여지를 남겨 놓았던 것은 아니었을까? 그것은 그도 딱히 부인하지는 않으려는 눈치였다.

"아! 그 양반들? 그렇게 나쁘신 분들은 아닌데 너무 계산적이고 정확한 걸 좋아해서 나중에 같은 피붙이인 나한테까지도 세금 청구서를 들이밀까 싶어 일부러 피한 면도 없진 않지. 왜? 당신은 내가 너무 겉넘었던 것 같아요?"

이렇게 딱한 사람에게 이 이상 뭘 더 따지고 들자는 것은 지나치게 잔인한 일이라고 그녀는 생각했다. 그래도 운전에 각별히 주의를 요하는 연휴 심야의 고속도로상에서 바로 잡지 않고 그냥 내달릴 수는 없는 사전 정산 건이 한 가지쯤은 있었다.

"뭐, 그렇게까지는 아니지! 당신은 혼자였고 어렸던 거니까 다 괜찮은데……, 이모는 절대 사촌이 될 수 없는 거겠지? 그냥 삼촌이든지 아니면 오촌, 칠촌, 구촌……, 뭐, 이런 식으로 오드하게 나가면 모를까."

*

사모는 이 나이에 당장 송 원장의 오랜 바람처럼 달려 내려가서 별스러운 이모님께 세배를 올리지는 않을 것이다. 설날 아침 차례 후에 일찌감치 평창동 본가에 다녀와야만 했다. 사모에게는 이제 연로하신 어머니 한 분뿐이지만, 본디 장인 장모부터 뵈어야 하는 게 사위로서도 마땅한 도리 아닌가. 진작에 그 큰 집을 혼자 차지했어도 어느새 같이 나이 들어가는 처지가 되어버린 동생 내외도 진심으로 기다리고 있을 것이다. 그들은 모두 그녀의 소중한 가족이고, 또 고아나 다름없는 송 원장에게도 마찬가지 존재여야 할 터이니까.

"어? 누나 너 같은 쌩 날라리가 왜 우리 니체에 칸트를 합쳐 놓은 선생님을……. 그간 인스턴트에 하도 물려서 결국 취향이 바뀐 거야? 아니면 요즘 유난히 야식이 땡기는 거야?"

아하, 이것은 다급한 대입 수험생인 저 말고도 가끔은 심야에 그의 방을 드나드는 암상궂은 고양이 한 마리가 있었다는 비밀을 목도하고 그녀의 동생이 비유법 실습 삼아 던진 저렴한 아포리즘? 그리고, 다음은 그로부터 대략 서너 해 뒤 혼전 임신 따위의 너절한 굴레가 없었음에도 내 마음이 그이하고만 결혼하게 되어버렸다고 선언했을 때 사모의 어머님께서 베풀어 주신 모성애와 기우가 얼버무려진 솔직담백 오라클!

"가뜩이나 엉덩이하고 가슴이 커가면서부터 더 천방지축에 제멋

대로였던 네가 뭐가 아쉽다고 머슴 같은 저 송 선생한테다? 처지가 그래서 그렇지 보기보단 한 이불 덮고 사는 데 그리 고분고분한 인사가 아닐 건데……."

언뜻 이 도저히 믿기 힘든 사태의 귀책 요인을 각기 사모와 송 원장, 정반대로 지목하는 듯한 두 개의 진술에도 일맥상통하는 바는 있었다. 그것은 그녀와 그의 변증법적인 상생 관계를 지극히 피상적으로만 보려 하고 있다는 점이었다. 잠시만 사모에게 초점을 맞추어 생각해 보아도 그랬다. 모더니즘의 진부한 드라마투르기에나 속하는 것이겠지만, 한 공간에서 부대끼며 살아온 같은 식구들도 헤아릴 길 없는 그녀만의 바닥 모를 공허감 같은 것 말이다. 그것은 애초에 이성이나 논리를 떠난 또 다른 차원의 문제였다.

그들의 말처럼 다채로운 식성으로 마구 변덕을 부리든, 풍만한 가슴과 엉덩이를 과도하게 뽐내든 아무 소용도 없었던 근원적인 그 무엇. 당대의 유명한 해학과 풍자를 빌리자면 재벌, 국회의원, 고위 공직자, 군 장성, 장차관급에 필적하리라는 신흥 명문가들과의 빈번한 혼담으로도 충족될 까닭이 만무했던 그 무엇. 심지어는 양친께서 못내 걱정스러워하며 챙겨주신 무지근한 지참금을 머릿속으로만 인 채 그의 가냘픈 능력 범위 안에서만 생활하기로 흔쾌히 다짐하여야 했던 그 무엇. 뭐! 대략 이런 것들 아니었겠는가?

하지만, 그 무엇보다도 말도 되질 않는 이중과세를 척결하고자 나선 것이야말로 스스로 가장 잘한 일이었다. 사모는 결혼하자마자 영정으로도 접해 본 적이 없는 시부모의 차례와 제사를 하나도 빠짐없이 되찾아왔다. 출가 전 제 방보다도 못한 신혼집 어설픈 상차림 앞으로였다. 당신도 이제 당당히 일가를 이루게 되었으니 어서 절을 올리라며 만삭의 몸으로도 득의만면할 수 있었다. 그녀 부모조차 경악스러워한 오로지 한 인간으로서의 성숙이랄까? 그것 말고도 사모가 송 원장에게서 챙겨야 할 것은 더 있었다.

"왜? 어머님을 무슨 암자엔지로 조용히 모셨다는 그 양반이 신경 쓰여서 그래? 이제 곧 재혼할 남자도 있다는 눈치던데, 뭘!"

"재혼은 무슨? 어디서 나이도 어린놈 하나를 데려다가 또 맨몸으로 먹여 살리게 되는 거나 아닌지 몰라!"

송 원장은 사모처럼 뭘 중뿔나게 챙기는 편은 아니었어도 옳든 그르든 그거 하나만을 그러는 데에는 일가견이 있었다. 그럴 때마다 그녀는 그와의 설날 밤 호텔 방을 떠올리지 않을 수 없었다. 그때 좋았었던 것들만을 상기하기 위해서였다. 송 원장은 집요하게 사모의 부모가 원하는 것을, 그리고 솔직히 그녀도 조금쯤은 바라는 것을 챙기려 들지 않았다. 이제는 집안의 기둥으로 자라난 동생이 그래서 송 원장을 변함없이 좋아하고 가끔은 경외하는지도 몰랐다. 그건 사모처럼 재수도 없이 단박에 원하는 대학에 붙을 수 있었던 가히 전율스러운 체험 탓만은 아닐 것이었다.

"누나! 몰랐냐? 그 선생님이, 그니까 매형이 원래 그런 사람이라는 걸. 엄마 아빠는 그렇다고 쳐도 얼티밋 쏠메이트가 지상 과제라던 사람이 어떻게 그럴 수가 있냐?"

몇 년쯤인가 모교 부속병원에서 근무하던 송 원장이 돌연 개업을 선언했을 때였다. 도대체 왜? 장인어른께서 늘 입에 올리시는 대통령 주치의 겸 의료원장 사위가 나한테는 능력 밖이고, 또 헛되

이 꿈을 꾸지도 않겠다. 그럼 뭘 어떻게? 분명 강남 한복판 꼭대기에 종합클리닉 대표원장 자리로 주저앉히는 걸로 양보하실 듯은 한데 그것도 좀 어렵겠다. 나는 내 깜냥껏 신도시 소재의 금잔화아파트 단지 내 상가 2층에 자리 잡은 송편한 내과 독자 개원의로서 성실히 국민건강 증진에 이바지할 작정이다. 그리고 책임지고 내 부양가족들을 남부럽지 않게 먹여도 살릴 것이다.

장기간 연휴인 이번에도 그럴 거긴 하지만, 송 원장은 야간과 주말과 공휴일을 가리지 않고 그 공언을 지키기 위해서 하루하루 최선을 다하였다. 그 생생한 목격자이자 본의 아닌 영순위 수혜자로서 사모는 격하게 인정하지 않을 수 없었다. 결과도 두루두루 나쁘지 않았다. 이골 난 병골들이나 그러다 단골이 된 약골들에게는 시시콜콜 잔소리 선생님. 현시점에서 적어도 남들이 부러워할 만큼은 되는 그 선생님의 남매이자 동종 업계의 후예들. 거기에다가 다 늙은 어른들도 여전히 주렁주렁한 옛 친가를 향하여 기한을 엄히 준수하는 사전 납세. 다만, 생각보다는 양식과 양심이 있는지 그쪽에서 먼저 징세에 나선 적은 단 한 차례도 없었던 것 같은데.

그러고 보니, 송 원장은 상대는 전혀 생각지도 않는데 처가의 고지서 발급마저도 원천 봉쇄할 각오였었나? 어쨌든 영리법인의 야심찬 대표이사 옛 제자뿐만이 아니라 사모의 부모 앞에서도 예전 송 선생 대접을 받지 않아도 되었으니 잘한 결정일 것이다. 한 집안의 장녀이고 손윗사람 자격에 앞서 한평생 반려인 사모로서도 자못 떳떳한 일임을 이제는 안다. 그런데, 고지조차도 가당찮아 보이는 명색이 외가라는 데는? 애초에 개업을 서두를 때도 입에 올리지 않았던 그 내밀한 이유를 범속한 소울메이트도 되질 못하는 사모가 새삼 캐물을 수는 없는 것이다.

*

어? 그게……, 느닷없는 광복에 두 눈이 멀게 되자 혼비백산한 제철소 직원이 처가 되는 집에 모녀만을 떨구어 놓은 채 혼자서 제 나라로 내뺐다고 했었나? 아니면, 하필 맺어진 남자가 가정 있는 내지인이었다는 먼 촌수의 갓난쟁이 딸 하나를 떠맡았던 거로 밝혀졌던가? 한편으론, 그 몇몇 해 뒤 동란 통에 삼팔선을 넘어오던 온 집안이 그야말로 눈 깜빡할 새 폭살을 당했다고 들었었나? 혹은, 어느새 친자매나 매한가지였던 열 살 가까운 터울의 두 아이만은 요행히 살아남아서 어디 고아원으로 실려 가게 되었다고 그랬던가? 그놈의 고래 심줄 인연이 뭐라고 명색이 우리 장손까지도 일생을 단단히 묶어놔 버렸으니……!

매사에 정확하고 따지길 좋아한다던 그의 친가 사람들은 실상 이 사안에서만큼은 흐리멍덩하기가 이루 필설로 다 할 수 없었다. 어쩌면 장성한 큰조카와 관련된 민감한 사실을 대놓고 밝히기가 꺼려져서 사전에 기획한 대로 세심한 연기를 펼쳤을지도. 아무리 그렇더라도 한때 그녀의 전공이었던 정치외교학적인 감각까지 동원할 필요는 없었다. 그건 한 남자의 아내라면, 두 아이의 엄마라면, 이 땅의 범상한 여성이라면……, 다 필요 없고 그저 살아 숨쉬는 인간이라면 그냥 알 수 있는 일이었다. 아니, 알아야만 하는 문제였다.

자! 그건……, 열 살 남짓 소녀에게는 버려진 핏덩이가 꼬물꼬물 제 품에 안기기 좋아하는 귀여운 동생으로 보여서였을 것이다. 그 핏덩이로서도 꾸역꾸역 자라면서 소녀가 진짜로 살가운 언니처럼 믿어져서였을 수도 있었다. 그 까닭이야 해방이 되었든 난리가 되었든 결국에는 똑같이 전쟁고아의 처지가 된 마당에 둘은 더더욱 서로를 의지하며 그만큼 살뜰한 자매가 될 수밖에 없어서였다. 그러면 그녀의 남자가 된 그에게는 어째서? 편의하고도 당연한 이치였다. 한쪽 기둥이 영영 무너져 버린 상황에서 그만한 버팀목이 따로 있을 리 없어서가 아니라면 무엇이 더 있었겠는가?

"나 참, 진짜로 이모가 맞는다는데도요!"

그날 한밤중의 귀경길에서 그녀가 미심쩍은 마음을 숨기지 못하였을 때 불쑥 내던진 이 표현이 처음은 아니었을 것이다. 부모가 둘 다 안 계셔서 이모님과 단둘이 살고 있다는 답변에, 정말 그렇단 말이지? 넘어가 주었던 홀아비 담임선생. 그 이모님이 어디에선가 마주친 적도 있는 기껏 서른 안팎의 여자였다는 사실을 뒤늦게 확인하고는 호기심 반 의구심 반으로 추궁하자 그가 내뱉어 준 적도 있었다니까. 그리고 본능도 우당타당, 욕구도 번들번질 까까중들이 그를 놀려대며 부르던 별명이기도 했었다니까. 요즘 쏘쿨하고 글로벌한 감각의 아이들 가벼운 입놀림이라면 아무렇지도 않게 왓더 뭐에 마더 뭐뭐쯤 될까 말까 그랬을 텐데. 아! 지금도 휴대전화 연락처에 고스란히 새겨져 있는 프로필일 테니까.

사모는 그 둘의 관계가 일방적이었다고 믿을 만큼 응당 숙맥은 아니었다. 송 원장과 맺어지기 전 짧지만 나름 화려했던 편력이 이를 뒷받침하고도 남을 것이다. 내던져지듯 홀로 남겨진 그가 일테면 진짜로 이모의 말 그대로 헌신에 기대어 살아갈 수 있었던 것뿐만은 아니다. 고비 고비마다 혼자 버려지곤 했던 여자가 끝내 무너지지 않으려고 붙든 DIY형 지주목이 오로지 그밖에는 없었기 때문이기도 하다. 그러니 어느 한쪽이 크게 이득을 보고 다른 한쪽은 어마어마하게 손해를 보고 한 것은 없어야 맞는다.

그런데도 송 원장은 스스로 이중 삼중 자진 납세에 중독되다시피 한 것은 아닐까? 기껏 환급액이라고 받은 게 흐릿하기 이를 데 없는 시동생 내외의 아찬설 세배밖에는 없으면서도 말이다. 혹 미진한 것이 있어서 그런다면 이제는 마음을 내려놓으라고 속삭여 주고 싶다. 자기만의 재주와 노력으로 쏠닥쏠닥 애써 머금은 과실을 한목에 내뱉어 주는 게 무슨 상관이냐는 뜻의 소위 내돈내산이 아니다. 인생을 살아가다 보면 아직 젊은 여자의 헌신이 때론 지나칠 수 있다. 더불어 마구 자라나는 남자의 몸보다야 마음이 선부를 수도 있는 일이다.

기어이 실전 자본주의적인 비유이긴 하겠지만, 이는 비과세 기타소득으로나 처리가 될 것이다. 당연히 신고의 책임도 과세의 의무도 없다. 사모 역시 그 꿀맛 같은 부작용에 힘입어 송 원장에게 몸과 마음이 매혹될 수 있었던 게 아니겠는가? 이것마저 부모님께서 칭찬해 주시던 일종의 인간적인 성숙에나 해당하는지 깨우치기가 쉽지 않았다. 뿐더러 그걸 인정하기까지는 다시 한참이나 걸렸다. 그간 그녀만의 오롯한 시간은 어떤 의미에서는 몇 차렌 줄 모를 가렴주구와의 한판 싸움이었던 셈이다.

*

"야하! 언젯적 북악터널이냐? 길도 좁고 할 텐데 괜히 막히지나 않겠어요?"

고속화도로에서 동부간선도로, 한강을 건너서는 강변북로, 잠시 같은 이름의 동부간선도로에서 내부순환로로 옮겨 타서도 약간의 코너링 포함 드라이브는 그야말로 환상적이었다. 설날 이른 오전 서울 한복판을 종횡으로 내닫는 S클래스 급의 성능이나 수십 년 운전 경력 때문이 아니었다. 오늘을 빼고도 이틀은 더 남은 연휴 일정 덕일 터였다. 그럼에도 여세를 몰아 평상시의 정릉과 홍지문 터널을 피해 옛 지름길로 접어들자, 조수석의 송 원장은 한껏 감회에 젖어 들 기세였다. 예전에 이 길을 통해 셀 수도 없이 학교나 병원으로 오갔을 것이니 넉넉히 그럴 만도 했다.

"치우는 둥 마는 둥 서둘러 출발했어도 노인네가 상 차려놓고서는 눈이 빠져라 기다리고 계시겠지? 올해는 외손녀, 외손자 둘 다 없어서 많이 서운해하실지도 몰라!"

사모의 의도는 할머니! 삼촌! 숙모! 얘들아! 숨이 가쁘도록 연호하며 달려 들어가던 아이들 뒤로 오늘은 숨을 도리가 없다는 현실을 일깨워 주려는 것뿐이었다. 오연히 떠오르는 신흥 명문 우리 조상님들의 제대로 된 상차림 앞이다. 몰래 팔짱을 끼고 함께 귀가하던 옛날 주인집 철 대문 아래에서처럼은 쭈뼛거리지 말아 달라는 것이었다. 다시 한번, 크게 뭘 바란다거나 거창한 의무 따위를 요구하지도 않을 처가에서 세상에 하나밖에 없는 귀한 사위 대접이나 받으라는 것이었다.

"예, 제가 다 지켜보고 있고요……, 그 사람은 지 할 거나 잘하라고 할게요. 저한테는 어머니나 다름없으신데 고맙기는요? 곧 찾아뵙겠습니다. 어, 벌써 다 왔나……, 그만 끊어야겠어요. 아, 글쎄 괜한 걱정 마시라니까요. 이 나이에 제가 어디 가서 그런 헛짓거리를 합니까? 외려 옛날 젊었을 적에는 안 그러시더니만……."

산골짜기 깊숙이였는데도 엄마야 누나야 강변 살자, 컬러링이 길게 길게 울렸다. 사모한테까지 액정화면 위의 MOTHER-IN-L이 들어왔을 때 송 원장이 비로소 전화를 받았다. 처음 빤한 내용만 들어서는 아주 잠깐 그 L이 LAW일 거라고 짐작했었는데 당연히 그게 아니었다. 끈질겼던 진짜로 이모는 간데없고, 대략 LIVE였거나 심지어는 LOVE가 아니었을까? 우리 집 노인네는 그냥 장모님도 아니고 큰 사모님인 적까지 있었으니, 그것은 아예 불가능한 노릇이었다.

아마도, 하냥 작은 사모님일 그녀의 이 이중과세와의 백병전은 오늘도 현재진행형이었다.

도매금 도말금 도말법

도매금 숙모님께서 돌아가셨다.

24시간 보도 전문 채널의 새벽 2시 뉴스 시청 중 모니터 하단에서 언뜻 목격한 바로는 '충남 ○○군 ○○면에서 80대 독거노인(여) 사망 상태로……'였다. 연일 계속되는 폭염 현상에 관한 심층 분석 대담, 그것도 재방송을 떠받든 채 왼편으로 빠르게 탈주하는 자막을 정욱이 놓치지 않은 것은 가히 기적에 가까웠다. 나나나나나나나! 화면 전체가 곧 스포츠 이온 음료를 필두로 하여 현란은 하지만 도무지 눈에 들어오지 않는 광고 레이스로 급전되었기 때문이었다.

모처럼 자정 넘어까지 옛 직장 동료들에게 이리저리 이끌려 다니다가 가까스로 도망쳐 들어온 흐릿한 상태의 동공이라 일백 퍼센트 확신할 수는 없었다. 마지막 가라오케 주점에서 나이를 가늠할 수 없이 자신만큼이나 조락한 접대부들이 안겨주었던 비릿한 여운마저 맴돌았다. 일반 노래방에서는 좀체 기회가 없었던 윤수일의 <꿈이었나봐>를 열창하고 무슨 큰 소원 성취나 이룬 듯 잠시 득의만면했던 기운도 그야말로 꿈인 양 아스라했다.

"으응, 형! 무슨 일로?"

이건 무슨 제가 마지못해 전화를 받아주는 입장 같군! 그런데도 새벽 세 시가 다 된 시각에 불쑥 막내에게 전화를 넣은 것은 기껏해야 실거주민 일이천일 테니까와 아무리 그래도 한두 명도 아니고 사이에서 잠시 망설인 연후였다. 옛 고향에서 익명의 팔순 노파가 사망했다는 단신 하나로 숙모의 별세를 확신할 수는 없는 노릇이었다. 과연 한두 명도 아니고였는지 처음에는 전화를 받지 않았다. 하지만 말이 일이천이지 사망 적령기의 여성으로만 좁혀 잡으면 절대 희박한 가능성은 아니었다. 잠시 뒤 저쪽에서 걸어온 답신이 이를 시사하고 있었다. 그런데 왁자한 주변 소음과 대비되는 이 미지근한 반응은? 역시 아니었나?

"정구야! 니들……, 혹시 엄마 안 돌아가셨냐?"

"어, 그걸 어떻게? 오늘 아침 신문 부고란에도 나긴 할 거예요!"

"그럼, 미리 문자라도 좀 하지?"

"저희도 워낙 부랴부랴 정신없이 내려오느라고요. 노친네가 원체 총기 넘치고 건강하셨었거든요. 그리고 저번에 형님께서 하도 도매금 같은 집구석이라고 그러셔서……."

"으응……, 무슨 온열성 질환 같은 건 아니고? 아, 그랬구나! 알았다."

제아무리 뉴스 전문이라지만 특집 방송과 주요 단신은 별 상관도 없다는 건가? 도매금의 연원도 모르면서 언제인가부터 따박따박 존대로 응수해 오는 이 아이와의 통화 끝에 정욱은 녀석의 어릴 적 별명 똥독이 자연스레 떠올랐다. 그 독이 독毒인지 독[甕]인지 단

한 번도 생각해 본 적은 없었다. 실은 그렇게 불러본 적도 없다. 그건 당시 기행과 우행이 차고 넘쳐 여기저기서 얻어터지던 꼴통인지 똥통인지를 대신해 모성애 갑의 망인께서 혼자서만 밀던 대체용어였다. 인제 보니 시대를 어마어마하게 앞질러 간 일종의 PC주의였던 셈이다.

"왜? 박정욱! 나도 같이 가줘? 어디 한번 그래볼까?"

인터넷에 뜨는 부고를 확인하고도 점심 무렵까지 미진한 잠을 벌충하려 애를 썼다. 그러다가는 끈적한 취기를 털고 일어나 전격적으로 고향행을 결단하였다. 적기를 놓친 조문 의사에 세상 어떤 의미의 PC에도 연연하지 않을 아내가 보여준 예상 밖의 열의였다. 그만큼 지난번 만남이 강렬했었던가? 그것은 십 년도 더 지난 숙부의 장례식 끄트머리에서 터져 나온, 핏줄들 사이에서는 흔하디흔한 그야말로 해프닝일 뿐이었는데. 외국어인지 외래어인지 헷갈리는 낱말의 접미사처럼 완료된 게 아니라 아직 진행형이라서 그럴지도 몰랐다. 이 나이 부부간에도 남사스러운 구석이 남아 있다는 서늘함으로 정욱은 아내의 두루 올바르지 못함에 결연히 꺾어진 반기라도 들어야 했다.

"뭐 하러 당신까지요? 가고 오고 길도 멀고 많이 불편할 텐데."

사촌 동생들이 흩어져 사는 서울 바로 아랫녘에서 가장 먼 나들목으로 올려 잡아도 장례가 치러질 고향 읍내까지는 두 시간 안쪽이면 떨어지는 고속도로 행이었다. 그러고 보니 멀고 불편한 건 정작 따로 있을 성싶었다. 아내가 기꺼이 정욱에게 동행 의사를 떠본 까닭도 거기에 있을 것이다. 제 입버릇처럼 타성바지에 지나지 않는 아내는 끝내 미련을 접지 못하고 노파심 반 호기심 반, 장도에 오르는 정욱을 응원해 주었다.

"잘하고 돌아와. 이름처럼 정말로 욱하는 마음에 괜히 후회 꺼리나 남기지 말고!"

*

"혀엉! 아가 빠졌어! 요 앞 채마밭 똥통에 빠졌단 말여! 요번만큼은 나가 부러 안 그랬는디도……."

얼마 전 면사무소 앞 전파상 유리창 너머로 혼자서만 몰래 <웃으면 복이 와요>를 훔쳐보게 되었다. '불안, 초조, 긴장에 맘푹놔정!' 약 광고를 찍는 상황에서 아이러니하게도 그 불안, 초조, 긴장 때문에 모델이 실수를 연발하게 되는 코너에서 너무 배꼽을 잡은 탓이었나? 내처 '암치질과 수치질을 한꺼번에 치료하는 빠지롱!' 선전까지 보고 미주알고주알 여자 치질은 뭐고 남자 치질은 뭘까 지나치게 궁금증에 빠진 응보였을까?

하늘이 온통 누렇게 변색해 상고머리부터 물들여 옴을 감내해야만 하였다. 그건 아무런 실체도 근거도 없는 막연한 느낌이었지만 너무도 강렬하였다. 지금 다급하게 정욱을 지목해 달려온 겨우 여섯 살 큰애보다도 더 어릴 적에 경험했던 실제의 감각만큼이나 큰 공포였다. 집에 어른들이 아무도 안 계신 이 순간, 정욱은 그 공포 이상의 책임감을 발휘하여야 마땅했다. 숙모가 암암리에 그러리라고 믿고 멀리 바깥나들이로 돌아선 이상 도리가 없질 않은가? 하지만 도저히 그럴 수가 없었다. 샛노란 인분과 뽀얀 기생충의 대비!

그때보다 더한 어지럼증에도 시달려야 했기 때문이었다. 혀영! 오빠아! 겁에 질린 조무래기들의 엉엉! 앙앙! 이중창, 삼중창, 돌림노래도 별 소용이 없었다.

"야가 시방 뭣 하고 있는 거여? 얼릉 끄집어내덜 않고서니 글씨……."

단속반이라고 불러야 맞을까? 구세주라고 칭해야 옳을까? 어느새 날아든 견인불발, 백절불굴의 야들야릇한 모심이었다. 곱디고운 날개, 서걱이는 반투명 깨끼옷이 누렇게 얼룩지는 것도 아랑곳하지 않고 걸음마쟁이를 끌어당겨 품에 안은 것이다. 단 한 벌 외출 전용 여름 한복뿐만이 아니었다. 두 손을 무지근하게 차지했던 애지중지, 대나무 고리짝 속 도매금 수입 제품을 감싼 다후다 보따리도 다 내팽개치고서였다.

일찍이 조부 딴에는 깊이를 낮춘다고 주둥이를 고루 바수어 놓은 둥글넓적한 거름독이었다. 찬찬하고 쫀쫀한 성미 그대로 이런 사고에 대비하려고 우둘투둘 백상아리 이빨 모양 모를 세운 것이 외려 문제였다. 죽음의 공포와 생존의 본능으로 그 예각을 악착하니 붙들고 있느라 마구 찢기고 베인 생채기를 확인하기 위해서였을까? 아니면 본심이든 아니든 자신을 해코지한 만고불변 원흉의 철저, 처절한 응징을 바라서였을까? 가뜩이나 말이 더딘 두 살배기 막내는 연신 손을 올려 하나뿐인 제 형을 가리켰다.

그때 정욱은 고사리보다 조금 웃자란 그 여린 손가락질이 자신에게로 향하지 않은 것을 다행으로 여겼다. 서로 빠지고 빠뜨린 아이들도 철딱서니였지만, 생부에게서마저 버림받은 열두 살 장손인 정욱 역시 벌써 어른일 수는 없었다. 급살 맞을 영감탱이! 고연히 우리 크고 작은 씨알 대구리더얼 다 잡을 뻔한 이 쿠린 놈에 걸 먼 신줏단지 모시듯기 살기 죽기 고집여 고집을……. 언젠가 조부 사후에 진작부터 쓸모가 없어진 그 거름통을 깨부수면서 다들 들으라는 듯한 할머니의 푸념이 없었더라면 이번 생에서의 설분은커녕 신원마저 영 불가능했을 것이리라 정욱은 여적지 믿고 있다.

"요놈의 새키 박정호! 너 또 그럴 거여? 시상 하나밖에 없는 지 부랄 아우 아녀? 그려? 안 그려?"

"……!"

"꼴통, 너도 그런마! 암만 말귀를 못 알아 처먹어도 지 성 말 들어야지 누구 말 들을 껴? 잉!"

"……?"

저녁 늦게 집으로 돌아와 대낮 한바탕 소동의 내막을 건너 들은 숙부는 2세들 앞에서 과연 교육자다운 엄정함과 공평함을 잃지 않았다. 거기에는 자칫 동생들을 제대로 돌보지 못했다는 죄책감으로 한껏 움츠러들었을 장조카를 향한 무언의 배려마저 깔려 있었다. 정욱은 그게 더 어색하고 서운했다. 인제는 영락없는 짜근 아부지라서 그런 건가? 왜, 그냥 삼춘일 때는 안 그랬잖아……유? 하고 물을 수는 없는 처지라는 걸 잘 아는 자신이 더 싫었다. 아니 자꾸 자꾸 미워졌다.

"증욱아! 증욱아! 그새 해 다 떨어졌는디 야가 어디 간규?"

"임자, 가만! 먼 놈에 약을 몽조리 까뒤집어 먹은 거 같은디?"

국민학교 선생이던 숙부가 그때 처음 집으로 들여온 것은 미취

학 정욱에게 알약이 아니라 달치근한 과자였다. 엊저녁에는 숙부가 그렇게 단 한 알만으로도 너끈히 정욱을 유혹할 수 있었다. 오늘 낮 집이 텅 비게 되자마자 찬장 깊숙이에서 몰래 찾아 한 알 한 알 남은 것들을 쏠락쏠락 다 먹어 치울 때까지도 정욱은 그게 사탕이 아님을 의심치 못하였다. 하지만 그 끝은 결연코 달콤하지가 않았다. 아! 제대로 머릿속이 뒤집어져서 감진고래甘盡苦來라고나 해야 할까. 온통 샛노래진 하늘이 무겁게 내려앉는 공포와 고통을 어찌하지 못하고서 어둡고 비좁은 장롱 틈으로라도 숨어들어야 했다. 그렇게 정신을 잃었는지 까무룩 잠에 취했는지 어른들이 돌아올 시간이 지나서도 깨어날 수가 없었다.

"요놈이 여가 어디라고 둔눠서 코까장 다 골고 있는 거여? 시바앙! 아이쿠 구려라! 나쁜 벌거지 다 잡니라구 응가까지 푸짐하게 하셨구만그려!"

조모 조부를 동시에 안달 나도록 한 소동에서 기어코 정욱을 구해낸 숙부는 말은 그렇게 했어도 하나뿐인 생질이 못내 귀여워 죽겠다는 듯 미소 짓고 있었을 것이다. 괜찮여! 괜찮여! 인저 밥 많이 먹고 또 똥 많이 싸면 암시랑토 않여! 정욱이 이 나이 먹어서도 그 나직하고 누긋한 억양을 잊지 못하고 있는 것이 바로 그 증거였다. 그리고 그것이 생애 첫 기생충 구제의 과업이었다. 숙부의 장담대로 다음 날 아침 뒷간에서 자신이 아무렇지도 않게 되었음을 겨우 확인할 수 있었으니까.

*

결국 정욱은 자신했던 두 시간 이내 주파에 실패하고야 말았다.

광역시 주변 분기점 이남부터는 늘 그렇듯이 교통량이 많지도 않았고, 게다가 상대적으로 덜 붐비는 화요일임에도 불구하고 그렇게 되고 말았다. 목적지까지 다 와서 갑자기 속이 불편해진 것이다. 과민성 대장 증상! 혹여 변실금? 흔히들 그렇게 대충 뭉뚱그리지만 정말 과하면서도 변변치 못한 놈이다. 고향이 여기보다야 더 확실하게 충청도 땅이라고 그랬었나? 겉으론 까칠한 편이기는 해도 용하다고 소문난 단지 내 상가 2층 내과 송원장도 별 뾰족한 수가 없다고 했으니까. 조금이라도 꽁무니가 찜찜하다 싶으면 지나치리만큼 몇 차례고 화장실을 찾는 수밖에는. 이런 장거리 여행도 그래서 기차나 자가용을 이용할 뿐 고속버스 같은 것은 꿈도 꾸지 못한다. 아내의 성화에 못 이겨 시작한 그나마 한 시간짜리 억지 운동도 가까운 생태공원을 빙빙 돌 따름이다. 가을이면 지천일 산딸나무 열매나 모과를 달여 먹어 볼까? 이게 다 지레 나이 들어가는 신호 중 하나라고 치부하기에는 너무 수치스럽다. 차라리 어릴 적 달고 살던 기생충이나 구충제 탓으로 돌리는 게 나으려나.

마침 그 치욕을 달래기 위해서는 고향의 향취가 물씬 풍기는 남쪽 방향 휴게소에 잠시 들러야만 하였다. 고속버스 환승 정류소까지 생겨 다소 산만한 느낌에도 불구하고 한때 국민평가 우수휴게소답게 화장실은 맘에 쏙 들게 깔끔했다. 그 탓인지 생각보다 더 오래 지체할 수밖에 없었다. 하긴 장례식장에서 자주 들락거리느니 아예 여기서 여유를 갖고 단 두 번만으로 속칭 쇼부를 치자! 차로 돌아와 콘솔박스 깊숙이 처박아 두었던 에쎄 클래식을 찾아 물며 정욱은 차라리 느긋한 심정이었다. 그러고 보니 이 슬림은 숙모와 마지막으로 맞담배질을 하던 오랜 브랜드 아닌가?

나는 그만 잘 쳐! 아니라면, 나 인저 갈라네?

마지막으로 머금었을 연기 한 모금을 가느다랗게 내뿜으며 이런 심드렁한 독백을 곁들이지는 않았을까? 외로울 것도 서글플 것도 하나 없는, 세상 천연덕스럽기 짝이 없는 양반일 테니까. 그런데 그때 아직 채 자라지도 않았던 때꼬장물 나를 처음 벗겨 놓고서는 왜 낯까지 붉혀가며 애써 눈길을 피했던 걸까? 아무래도 아직 낳지도 않은 내 자식 같을 수는 없어서였을까? 정욱은 순식간에 속이 썩 개운치 못한 경지에 다시 도달할 수 있었다.

"할머니! 편히 주무세요, 갔다가 내일 아침 일찍 다시 올게요, 그러니까 이 단 두 마디가 우리 엄마가 이 세상에서 마지막으로 들은 소리였을 거라는 거지? 정미야!"

정욱의 상상이 얼추 맞았다는 걸까? 전혀 아니었다는 걸까? 그간 애 딸린 홀아비와 다시 합친 걸로 들었었나, 아무튼 셋째는 종잡을 수 없는 말부터 던졌다. 이제는 도톰한 두 입술을 꽉 다문 채일 숙모에게서 직접 들었을 리는 만무하고 누군가로부터 건네받은 최종 목격 상황일 것이다. 자식들 누구랄 것도 없이 억지 생색처럼 자주 찾아오지는 않았다는 의미였다. 그러면서도 LED 전광판 상주 칸에 저희 네 남매와 제 짝들로도 부족해 열하나나 되는 아들딸에 사위, 며느리까지 울울하게 심어놓아 언감생심 정욱이 비집고 들어설 틈이 없었다. 정욱을 맞이하는 사촌들의 표정도 빽빽하기는 매한가지였다.

고인 도말금(79)

그보다 눈살이 찌푸려진 것은 맨 위에 좌우로 사로잡힌 형국의 어색한 숫자였다. 대충 80 얼마도, 딱 80도 아니라니? 올해부터 따지기로 했다는 만 나이로 그렇다는 건가? 그러면 몇 살 누나인 아내는 그렇다 치고, 지하철 무임승차가 가능한 자신보다 열댓 살도 연상이 아니었다는 건데. 그래서 숙부고 조모고 입에 달고 살던 팔자에 없는 내 자석이라고 생각하고……, 타령에 진저리를 쳐댔었나? 내 자식이 아니라면 그때 비교적 젊은 나이의 이 양반 눈에 사춘기 언저리의 자신은 무엇으로 비쳤을까? 아니 비쳐야 옳았던 걸까?

"정숙이 네 말마따나 보건진료소 그 여자 얘기로도 저녁 늦게까지 별 이상한 낌새가 없었다니까 괜히 썰렁하니 굳은 노인네 몸에 칼 대지 말고 그냥 자연사로 처리하는 게 맞지."

정욱과 같은 신도시에 살면서도 서로 왕래가 끊긴 게 언제인지 모를 둘째였다. 반 시간 터울의 쌍둥이 언니인 이 애의 맞장구마저 이치에 맞는지는 모르겠지만 정욱 역시 부검까지 가지 않은 것은 다행이라고 생각했다. 하룻밤 사이에 감쪽같이, 아니 깔끔하게 세상을 버린 게 어쩌면 부러웠는지도 모르겠다. 요새 지인들의 친상 자리라고 가보면 아흔이 넘어서는 다반사고, 꽉 채운 백에서 하나나 둘이 모자란 경우도 적지 않았다. 정욱은 외람되게도 그 수치들에 약간의 공포심을 느끼던 차였다. 그러니 망인께서 기어이 여든을 채우지 아니하였어도, 아울러 자신 또한 감히 그 나이에 이르지 못하더라도 어쩌랴 싶은 것이었다.

"그런데 그 아가씨 말은 아직도 우리 엄마 뱃속에 무슨 벌레 같은 게 들어 있었을 거라는 얘기야? 누나들!"

"얘는 배가 아니라 간이라니까. 그것도 확실하지 않은 걸 가지고서는. 덕분에 노인네 돌아가신 걸 놓치지 않고 제때 발견하게 됐지만서도……."

"그래도 그런 일로 보건소에 신고까지 하고……. 요즘 시골이고 고향이고 사람 사는 인심이 너무 사납다. 야, 사나워!"

"정식으로 신고는 아니고 걱정스러운 마음에서 살짝 귀띔을 해준 거겠지. 그냥 날로 잡아 잡수시면 안 된다고 전화를 드릴 때마다 그렇게나 신신당부했었는데도, 워낙 어릴 적 혀끝에 밴 입맛이라는 게……."

막내에서부터 맏상주로 올라가며 다지는 투박스러운 우애의 장에서 정욱은 완벽하게 열외였다. 한집안 식구인 며느리나 사위도 아니니까 당연한 일이겠지. 실은 같은 박가 핏줄기인데도 이러는 게 오히려 편한 점도 없지 않았다. 당장 입관 완료 직후 달빛 교교한 심야에 이 투철한 형제애가 갑자기 피와 살이 튀는 쟁투로 표변하더라도 간여치 않을 것이다. 저 멀리서 아내의 성원과 주시 때문만은 아니다. 이미 지난번 숙부의 삼우제에서 정욱은 연민도 미련도 모두 버리지 않았던가. 하지만 구원久遠의 모정慕情이신 숙모님께서는? 누군가 주워 담는 낙수落穗 한 가닥이면 충분했다. 그런데 요즘도 검사 방법은 그 옛날과 크게 다름이 없다는 건가?

"그래도 노인네 당신 몸 귀한 건 아셨던지 진료소 여직원이 맡기고 간 채변 통은 제대로 채워놓으셨다더라. 인제 도매금은커녕 진짜 똥금도 안 나갈 그놈에 걸 말이다!"

*

반드시 본인의 변을 받아야 한다.

국민학교 시절 누런 채변 봉투 뒷면에 박혀 있었던 채변상 주의사항의 제1항을 정욱은 지키지 않았다. 따라서 세 군데 이상 밤알 크기 어쩌고 따위의 나머지 항목들은 신경 쓸 필요조차 없었다. 국가로부터 의무교육의 혜택을 입는 학생이라면 마땅히 응해야 했던 기생충 검사를 어떻게 해서든 피하려고만 든 것이다. 숙부가 담임일 때는 묵시적인 미제출로, 아닐 때는 빈 봉투나 이물질로……, 대개 이런 식이었다. 그래도 무슨 문제가 있을 까닭이 없었다. 이제 당의정은 아니지만 여전히 집으로 정욱 몫의 구충제를 챙겨오는 숙부의 비호가 있었으니까. 사실은 단 한 차례 정욱을 스쳐 지나친 유력한 생부 추정자의 탓이기도 했다.

학교에서 면사무소로 이어지는 길목에 나 있던 작은 공터. 입학 첫해 그곳에서 우선 정욱은 불구경을 한 기억들이 생생했다. 추석 전날인가 방앗간 굴뚝에서 새어 나온 불티가 초가지붕을 사르기 시작하자 어떤 청년이 온몸에 물을 적신 채 뒹굴어 내려 찬탄을 자아낸 일. 반면에 압력 탱크의 폭발음과 함께 순식간에 세탁소를 덮친 세찬 화염에는 기왓장이 터져 날리는 걸 지켜보며 다들 절규만을 내뱉던 일. 하지만 그것들보다 더 생생하고 충격적이었던 일은 어쩌다 보니 정욱이 떠돌이 약장수의 공연에 동참하게 된 것이었다.

"여러분! 지금 전시해 놓은 이 포르말린 용액 속의 요사스럽고

징그러운 벌레들이 다 우리 위대한 대한 사람의 위 안에서 살고 있는 기생충이란 말입니다. 회충, 요충, 편충, 촌충, 십이지장충, 에에……, 거 뭐이냐? 동양모양선충까지! 바로 제가 들고 있는 것은 이놈들을 한 방에 잡아 죽이는 묘약이올시다. 아아……, 일부 비양심적인 사이비 제약업자들이 천인공노할 사술에 기대어 만들어 파는 그런 밀가루 약이 아니라는 말씀입니다. 그 사실을 제가 지금 이 자리에서 직접 입증해 드리겠습니다. 어어……, 으음……, 얘 꼬마야! 너 이리 좀 나와볼래?"

말쑥한 기생충 표본에 눈이 팔려 맨 앞줄에 앉아 있던 정욱을 그 어릿광대 약장수가 지목한 것이었다. 설명할 길 없는 끈끈한 눈길에 사로잡혀 나간 정욱에게 그는 몇 개인가 정제를 먹게 했고, 정욱은 정욱대로 조금도 어색해하거나 머뭇거리지 않았다. 이미 비슷한 경험이 있던 터였다. 다만 그의 약은 달지도 쓰지도 않은 게 정말 아무 맛도 없었다. 실은 설사 말고는 약효도 변변치 않을 거였다. 옹색한 간이 휘장 안으로 달려가 준비된 깡통에다 급하게 변을 보아야 할 지경이었다. 그리고 그 깡통 밑바닥에는 분명 정욱의 몸에서 나온 것이 아닌 허연 벌레들이 먼저 자리를 틀고 있었던 것이고……. 그래도 정욱은 아무런 항의도 변명도 할 수가 없었다.

"야, 이 녀석아! 그만 좀 싸고 어서 나오너라! 이 덕국양행 최우수 민완 영업부장 아저씨가 다들 보시다시피 그렇게 한가하지를 않아요. 대신에 여러분! 일망타진을 줄여서 만든 본 일타정의 탁월한 약효를 몸소 증명해 준 감사의 뜻으로 저 아동에게 특별히 소정의 사례금을 전달하도록 하겠습니다."

정욱은 그가 쥐여준 지폐 몇 장을 호주머니에 쑤셔 넣으며 황급히 그 자리를 피해야 했다. 나무젓가락으로 깡통 속을 헤집으며 또 이놈은 뭐, 다시 저놈은 뭐, 의기양양 벌레들의 머릿수를 헤아리는 그의 집요한 상술 때문만은 아니었다. 그 벌레들 가운데에는 뜻밖에 제 몸의 것도 있음을 알게 되었기 때문이었다. 진작에 하늘이 노래지도록 그렇게나 약을 많이 먹었는데도 말짱 헛수고였다는 말인가? 정욱은 구겨진 십 원짜리들이 더러운 벌레 모양 손아귀에서 꿈틀거리는 것 같아 쉽사리 집으로 발길을 돌릴 수 없었다.

"그라믄 지는 우리 제수씨 한 분만을 믿고 그만 떠나보도록 하겠습니다. 육친분덜이나 우리 박 선상보담 행결 맴이 놓이는구먼요. 모쪼록 에미헌티도 버림받은 천방지축 철부지 하나 잘 좀 거둬주십쇼. 예에!"

"모처럼 각중에 오셔서는……, 애 아부지하고 집에 어른들도 다 초상집에 가시구……, 암만 그려도 이렇게 못 보시고 기냥?"

"아! 형제 자식 같지도 않은 놈 댕겨갔다는 말씸은 역부러 안 하시는 게 서로 속 편할 거입니다. 그라믄 제수씨! 저, 갑니다이."

문방구다, 만화방이다, 원하지도 않았던 횡재수를 다 소진하고 저물녘 대문 앞에서 머뭇거리다가 쪽문을 밀고 나오는 그와 눈을 마주쳐야만 했다. 잠시 정욱보다 더 놀란 표정의 그는 무슨 말인가를 꺼내려다가 머리를 한번 가볍게 쓰다듬어 주고는 그대로 발길을 재촉했다. 정욱은 그가 방금처럼 투박한 사투리를 써야 할지, 약을 팔 때처럼 능숙한 표준어를 구사해야 할지 갈피를 잡을 수 없어 그런다고 이해했다. 정욱이 일부러 늦춰 들어갔는데도 망연히 대문

쪽을 바라보고 서 있던 숙모가 첫애 때보다도 더 부르다는 배 안으로 두툼하고 누런 봉투를 감추는 것도 이상스레 여기지 않았다.

이듬해 봄방학 전인가 공터에서 가마니에 덮여 꽁꽁 언 채로 발견된 남자 하나를 놓고 그 떠돌이 약장수가 맞다, 암만 수구초심이라고 해도 그럴 리가 없다, 마을 사람들이 전부 수군거릴 때 집안 어른들만이 어떠한 촌평도 달지 않는 것이 더 의아했다. 특히 정욱과는 공동 증인이 될 수도 있는 숙모의 무덤덤함이 놀라웠다. 아무리 딸 쌍둥이 출산의 대사 직후였다지만 그건 핑계에 지나지 않았다. 그리하여 정욱은 그 돌팔이의 마지막 자기 독백을 한없이 되새기고 되새겨야만 하였다.

"여러분들! 제가 충심에서 말씀 올리건대, 이 특효 종합구충제 꼭들 잡수셔야 합니다. 바야흐로 오 개년 경제개발과 국제화 시대를 맞이하여 뱃속에 더러운 회충이 들어 있다는 지극히 후진국적인 이유로 산업의 역군, 파독 광부! 원대한 꿈을 기어코 분루를 삼키며 접어야 했던 본인이 간곡히 권하는 바이올시다. 학벌도 인물도 집안도 어디 한 구석 빠지지 않던 기구한 홀아비 이내 신세가 기껏 하찮은 벌레 새끼들 몇 마리 탓으로……."

*

십 년 세월은 사람의 연륜이나 성정마저 그윽해지도록 만드는 것일까? 아니면 그악스러움을 그럴싸하게 포장하도록 돕는 걸까? 하기는 그사이 사촌 동생들 모두 사십 대의 끈적한 욕망을 털어버리고 오십 대 후반에서 환갑을 바라보는 중늙은이쯤은 되어 있었다. 아직은 이번 장례에서 소위 도매금 집안다운 작태는 보이질 않고 있다는 뜻이었다. 모종의 이유로 정욱을 배제하려고 한 것이 이미 도매금이었지만 말이다.

"새로 짓는 김에 방은 적어도 네 개 이상으로 이 층짜리 펜션 스타일로 하는 게 어때?"

"그래, 최소 두당 하나씩으로 계산해서. 거기에 애들까지도 쉬러 오라고 하면 딱이겠다."

"우리가 그간 신경 못 써서 그렇지……, 냇가에서 하는 물놀이에다 멀찍이 바라다보이는 경치는 어디 내놓아도 빠지질 않을 테니까."

"어머니 채소밭하고 또 영농조합에 위탁한 논하고 다 정리해도 비용이 약간 빠듯할 수도 있으니까 다들 얼마간 부담할 각오는 해야 할 거야. 실제로 남으면 좋은 거고 모자라도 뭐, 투자라고 생각하면 되는 거니까."

숙부상 때는 위아래 없이 갈가리 찢어발기려고만 들더니 이제는 한 덩이로 뭉치려는 꿍꿍이였다. 주말 귀촌을 위한 세컨드 하우스든 에어비앤비 겸용 전원주택이든 아무렴들 하고 있었다. 모르긴 몰라도 그간 마음만큼이나 살림살이들이 여유로워졌음이리라. 모두 조부모 대에서 일군 것들이나 그 어른들 돌아가실 때까지 모시고 산 숙부 내외가 물려받은 것은 도리로나 이치로나 그르지 않았다. 그러나 출향한 지 오래인 2세들마저 당연한 양 저러고 있는 꼴이 정욱으로서는 못내 서운했다. 생부가 자식 노릇을 다하지 못했다고 해서 그게 내 잘못은 아니지 않은가? 한낱 물질을 떠나 한 인간으로서 대접받지 못한다는 섭섭함이 새삼스러웠다. 따라서 이런 쓰잘머리 없는 감상에 휩쓸려 좋을 것 하나 없다는 아내의 예지는 썩 유용했다.

"하긴 엄마 혼자서 끝까지 지킨 집이고 땅이니까 우리라도 나서서 잘 간수해야 효도겠지?"

"그건 너무 당연한 얘기고. 그런데 언니야! 엄마는 왜 끊었던 물고기를 다시 생으로 먹기 시작한 걸까?"

스스로 답을 품고 있는 큰 쌍둥이의 물음에는 대꾸할 건덕지도 없었다. 다만 작은애의 궁금증을 풀어줄 실마리는 얼마든지 있었다. 먼저 숙모는 날로 즐기던 물고기를 스스로 끊은 적이 없었다. 어려서부터의 식도락인 그것은 불가능한 일이었다. 교직 내내 소위 새마을 주임을 도맡았던 숙부의 성화와 감시에 은인자중해 왔을 뿐이었다. 천렵꾼 남정네도 아닌데 간흡충이 발견되었다면서 퍼부어 대는 천생 훈장질 잔소리가 성가시기도 남사스럽기도 했을 터였다. 그것대로 별미이긴 하지만 매운탕과 어죽과 도리뱅뱅으로는 대체할 수 없었던 쌩날맛을 지아비가 세상 떠나자마자 완벽하게 되찾아 온 것이었다.

"다른 것들헌티는 무덤덤하면서 해필 그놈만 가지구서는 왜 그려유?"

"야, 이 사람아! 지스토마는 아직까장 지대로 된 약도 없어!"

실로 기생충을 대하는 숙부의 태도는 모순되는 것이었지만 또 이해하지 못할 바도 아니었다. 사람이 산출해 내는 거름으로 인해 옮겨지는 회충 등에는 관대했던 반면에 천연 숙주인 민물고기에는 철저하기가 이루 필설로 다할 수 없었다. 차별의 일차적인 기준은 치료제의 유무였다. 간흡충 치료제가 국산화된 게 어언 1980년대 중반이었으니 그 이후로는 숫제 미개인 취급이었다. 실제로 어느 하천 지역에선가는 그 약이 보편화된 뒤에 그것만 믿다가 오히려 보균자의 비율이 증가하였다는 웃어넘기지 못할 에피소드도 있다질 않은가?

모순의 내밀한 이유로는 숙부의 효심도 한몫했다. 각종 기생충의 소굴인 걸 알면서도 절정의 꼬시름한 맛을 구실로 이랑 위가 소복하니 인분 뿌리는 걸 당연하게 여기던 건 이미 조부만의 구습이었다. 하지만 농사도 거들지 못하는 아들로서 차마 거스를 수는 없는 노릇이었다. 막내가 거름통을 헤맨 생난리 뒤로도, 그리고 조모의 대오각성에도 불구하고 그 관행은 꽤 오랫동안 계속되었던 것으로 정욱은 기억에 남아 있다. 숙모가 병석의 시아버지로부터 밭농사를 온전히 물려받게 된 연후에나 식구들은 기생충으로부터 놓여날 수 있었다. 물론 고샅길 애호박에 오줌장군까지 동원하던 조모의 지극 정성은 별개로 쳐주어야 할 것이다. 그러나 그때 정욱은 목하 유학 생활 중이었으니 그런 것들까지 일일이 관심 둘 여력이 없었다.

"언젠가 자연산 빙어회라고 먹여주신 적이 있었는데 수박 맛 은어와는 또 다른 별미더라고. 그제야 엄니 나이쯤이면 무병장수보다도 옛 맛이 더 귀하게 느껴질 수 있다는 생각이 들던데?"

"막내 말도 틀리지는 않는데……, 어머니가 생각보다는 위생 문제는 그렇더라도 엄청 억척스러운 면도 계셨지. 그러니 집안 살림에다가 농사에다가 가끔 대처에까지 다니시면서 보따리 장사도 하시고. 왜냐면 넷씩이나 되는 우리도 우리였지만…….”

정욱이 애써 시선을 어긋나 준 맏이가 하려던 말은 박봉의 교사를 도와 4남매를 길러냈다는 눈에 안개가 서리는 미담이 아니었다. 숙부의 장손 편애 속에서 자신들이 겪어야 했던 소외 의식의 토로였으리라. 그렇다면 정욱도 밝힐 것이 전혀 없지가 않았다. 단, 그게 고인의 면전에서 썩 적절치 않은 일임을 모르지는 않는다. 이번에는 아내의 기우 때문만도 아니었다.

그래! 정말 수완이 보통 아니셨지. 어려운 형편에 어디서 돈을 마련하셨는지 그 비싸다는 양키 시장을 드나드셨으니. 그것도 하루가 멀다고…….

*

도말법, 기박협회충남지부

하늘색 표지의 두껍지도, 그렇다고 너무 얄팍하지도 않은 보조학적부에 어김없이 채워 넣던 단어들이었다. 일 년에 두 번씩의 검사 연월일, 검사결과, 구제 연월일, 시약명, 시약결과는 각기 달랐지만, 검사방법과 검사처는 언제나 불변이었다. 정욱이 채변봉투를 제출하지 않은 벌로 숙부는 건강기록부를 몸소 집으로 날라 왔다. 정욱은 특히 여덟 글자를 칸에 맞추어 쓰기 좋게 기박협회에서 끊거나 기협충남으로 줄이지 않았다. 숙부의 신뢰대로 또박또박 촘촘히 채워 넣는 뿌듯함이 한낱 꼼수 따위를 용납할 리 없었다. 공간적 제약으로 기생충 박멸이라는 무지막지한 말을 온전하게 쓰지 못하는 것이 아쉬울 따름이었다. 그러니 아무 뜻도 모르는 도말법 석자는 싱거운 감마저 있었다.

“아부지! 이건 내가 찍을 거여. 나두 잘할 수 있다니께!”

“아서! 틀리면 클 나. 원래 성이 잘하구 있구만, 왜 들구 그랴?”

본디 기재 내용이 고착된 두 칸만의 잘못이었을까? 똑같은 글자를 되풀이하는 불편을 해소하기 위해 파란 스탬프가 등장한 것은 국민학교의 마지막 해였다. 말과는 달리 숙부는 내년이면 학교에 들어가는 맏아들을 적극적으로 제지하지는 않았다. 그렇다고 입학 뒤에 정욱 대신 기생충 관련 항목 작성을 도맡도록 한 것도 아니었다. 정욱이 곧 중학교 진학을 위해 인근 도청소재지로 나가게 되었으니 자세한 내막은 알 수 없으나 분명 그랬을 것이다. 다만 한 가지, 그래도 대처에서 상급 학교 밥을 먹어서였는지 실제로 악취가 코를 찔러댄다는 그 도말塗抹의 원뜻을 알게는 되었다. 발라서 드러나지 않게 한다니? 도대체 어떻게? 그리고 무엇을? 정욱은 비로소 숙부의 처결이 적법한 양형이었음을 깨닫게 되었다.

“정욱아! 오늘은 집에 있었네. 접때는 학원 땜에 늦게까장 안 들어왔더만. 어서 겨들어 온 이스라엘잉어도 션찮고……, 어여 탕수육이라도 시켜서 먹자아. 막차 안 놓치려문 시간 없어야!”

정욱이 지켜본 바로만 고등학교 졸업까지 육 년을 훨씬 넘게 숙모는 그 도청소재지를 드나들었다. 그러는 도중에 하숙집이고 자취방이고 가리지 않고 찾아오기도 했다. 여름에는 몇 번을 빨아도 누렇게 얼룩이 진 한복 대신으로 시원스러운 민소매 원피스 차림이었던 걸로 기억한다. 당시 공공연한 위법이긴 했으나 철도역 앞 양키시장에서 화장품이나 커피 따위의 외제물건을 떼다가 고향 마을에 내다 파는 일을 한 것이다. 그게 이제 막 어미 잃은 자식들에게는 자못 감동적인 추억이었으리라. 그도 그럴 것이 숙부네 학교의 여선생, 교직원 부인이나 면 소재지에 상주하는 직장여성을 체면 불고 주 고객으로 삼을 수밖에 없었다. 겨우, 이거는 지가 우리 선상님하고 사모님헌티만 특별히 도매금으로 드리는 거니께……가 유력, 유일한 상술이었다.

"자꾸 이런 식으로 술만 안 마시면 되지, 엎어지면 바로 코 닿을 텐데 무슨 시외버스가 급하다고 그러세요?"

정작 정욱을 일찌감치 도청소재지로 내보내기로 결단한 숙부는 입학식이나 졸업식 말고는 일절 발걸음질을 하지 않았다. 따지고 보면 피도 섞이지 않은 숙모를 그만큼이나 믿는지, 아니면 아예 떠맡기기로 작정을 한 건지 알 수 없었다. 정욱은 주말은 물론 방학에도 밀린 공부를 구실로 고향 나들이를 줄였다. 역으로, 무슨 급한 일이 생겨도 엎어지면 코 닿을 거리니까를 그럴싸한 핑곗거리로 삼기도 했다. 그런데도 잊지 않고 꼬박꼬박 정욱을 찾아오는 숙모가 부담스럽기만 했다. 아니 어쩌면 은연중 기다리고 있었는지도 모르겠다. 도대체 서로 무슨 자격으로? 숙모님이 돌아가신 이날 입때까지도 풀 길 없는 수수께끼였다.

"나는 말여, 이렇게 너랑 쏘주라도 한잔 걸치고 돌아가면은 더 살 거 같은 기분이 들어! 근디 너두 담배 피긴 피지? 허긴 인저 고등학생인께 여자두 알 나이가 됐구."

"예에? 이렇게 술까지는 몰라도……, 세상에 그렇다고 어떤 숙모가 시조카 공부하는 책상 위에다가 말보로하고 펜트하우스를 놓고 갑니까, 가기를? 그게 옛날 우리 아버지와 무슨 비밀 약속이라도 된다는 말입니까?"

줄곧 퉁명을 부려버릇하면서도 정욱은 살짝 눈을 흘겨 뜨는 숙모가 그렇게 촌스럽지는 않다고 생각했다. 그렇다고 해서 이제는 얼굴도 생각나지 않는 생부나 심지어는 완벽하게 존재가 지워진 어머니까지를 떠올린 것은 아니었다. 그건 숙모도 마찬가지였을 것이다. 스스로 의도한 바는 아니었겠으되 결과적으로는 내쳐버린 꼴이 된 정욱을 마치 제 핏줄인 것으로도, 결단코 아닌 것으로도 바라보지 못하고 있었다. 그 덕분으로 팔자에 부모 복 없는 정욱이 남들 생각보다는 유복한 객지살이를 할 수 있었다는 사실마저 부인할 수는 없었다.

"철모르는 나이에 남자 하나만 보고서 시집올 때 코찔찔이에 똥고집쟁이였던 니가 벌써 이렇게까장 크고……, 나도 인저 나이를 먹는가 부다. 그나저나 시골집이라도 쫌 자주 댕겨가. 할아부지 할머니도 그러시고, 니 동상들도 얼굴 잊어먹겄다."

지금 새삼 따져 보니 겨우 서른을 넘긴 나이에 여자로서의 허전함과는 다르게 왜 욕망이 없었겠는가. 하지만 주인집 여자의 성가신 기웃거림이 아니었더라도 정욱은 그녀가 원체 이물스럽기만 했다. 집안 형편 때문인지 고등학교를 졸업하자마자 시부모에 조카까지 딸린 노총각에게 시집온 신세. 그럼에도 시간이 갈수록 그녀는 양으로 음으로 자기편을 늘려나가고 있다! 언제인가부터 숙부마저 나에게서 돌아섰다는 취기에 울컥, 정욱은 역한 소주잔을 거듭 들이켰다. 그러나 이내 그보다 더 독한 기운을 내뿜고야 말았다.

"그러지 않아도 대학은 꼭 서울로 올라갈 작정입니다. 아예 고향 생각이 나질 않게요. 그때도 미군 부대에서 흘러나온 물건들이나 더 싸게 산다며 따라오실 겁니까? 으흐흐흐! 죄송합니다, 숙모님! 아흐흐흑흑!"

*

인제 정욱은 음복은 물론 통곡도 하지 않았다. 영구차에 실려 인근 광역시 깊숙이까지 들어가 화장을 할 때도, 다시 고향 방향으로 되돌아오다가 행정구역 경계의 천주교공원묘원에 매장을 할 때도 울지 않았다. 손을 대지 않아도 툭탁, 봉숭아가 터지듯이 시도 때도 없이 곡을 해대는 사촌들하고는 처지가 다른 것이다. 그건 피가 반이나 섞인 생모와 절대 그럴 수 없는 숙모의 차이일 따름이었다. 어쩌면 이렇게까지 쫓아다니는 정욱이 동생들에게는 성가신 존재일지도 모른다. 그런데 모를 것은 더 있었다. 천주교식 장례는 아니었던 것 같은데 어째서 이곳에? 그것도 느닷없이 숙부까지 합장으로? 그새 숙모가 성당에라도 다시 나가게 되었단 말인가? 아니면, 도말금 아가타라는 생소한 조합이 생각보다 훨씬 오래된 것일 수도 있었다.

이건 밝히기에 조금 면구스럽기는 한데, 정욱은 입관을 함께하지도 못했다. 지레짐작처럼 누군가의 제지나 방해가 있었던 것은 아니었다. 과민성 대장 증상! 바로 그놈 때문이었다. 잠시 흡연구역을 찾았다가 급하게 화장실로 숨어들게 되었고, 또 한정 없이 앉아 있어야만 했다. 그러니까 정욱은 돌아가신 숙모님의 얼굴을 단 한 번도 보지 못한 것이다. 아니 숙부상 이후로는 제대로 만난 적이 없다. 십여 년 전 어젯밤과 똑같이 어둑한 벤치에서 우리 조카님, 나도 한 대 쥐 봐유! 이게 정욱이 들은 그녀의 마지막 육성이었다. 그때는 말없이 먼저 자리를 떴는데 이제는 그럴 수가 없는 처지였다.

마지막으로 밝힐 게 더 있다면, 정욱은 대학을 서울로 가지 못했다. 직장생활까지는 모르겠지만 엄밀히 서울에서 거주해 본 적도 없다. 누군가의 험담 모양 이혼을 당하거나 사업이 망한 것도 아닌데 주로 천川 자 돌림 도시살이가 고작이었다. 그래서 숙모는 정욱을 찾아 서울로 올라올 일이 없었다. 그럴뿐더러 서울 근처마저 얼씬도 하지 않았다. 그런데 이번에는 판이하게 사정이 달라진 것이었다. 그녀는 아무 데고 정욱을 마음껏 따라다닐 수 있게 되었으니까. 영검하고 노회한 아내는 이것마저도 경계한 것은 아니었을까.

그러니 고향에서의 일은 고향에서 확실하게 매듭짓고 돌아가는 것이 온당할 터였다. 정욱이 태어났을 때 전북이었던 곳이 다시 충남이 된 내력과, 이러다가 언젠가는 광역시에 편입될지도 모르겠다는 가망과 상관이 있는지는 모르겠으나 어쨌든 그렇다는 말이었다. 정욱은 서울행 고속도로 대신 고향의 비옥한 젖 줄기를 따라 북쪽으로 거슬러 오르는 지방도를 탔다. 도중에 어디든 몰래 들어가 피라미든 모래무지든 빠가사리든 토종 민물회를 한 상 푸짐하게 차려낼 심산이었다. 물론 타고난 날고기 귀신 숙모님 한 분만을 모시고서였다. 속된 말로 먹고 죽은 귀신이 때깔도 곱다질 않은가?

만에 하나, 생애 마지막 도말법 검사 결과 감염이 확인되면 숙부에게 시달릴 것을 염려하고 계실지나 모르겠다. 채소밭 똥통도 치워진 지 오래인 지금 가능성은 오직 하나 간흡충인데, 뭐 그쯤이라면 정욱도 들어본 바가 있었다. '회 이젠 안심하고 드세요!' 국산 치료제의 절묘한 광고 카피. 비록 세기가 달라졌다고 한들 어찌 그 효험마저 빛이 바랬겠는가? 정욱은 기어이 예전 자취방에서 숙모와 단둘이 마주하던 기분을 주체하지 못하고야 말았다.

뭘 그리 망설여 싸요? 한참이나 땡기던 거 앞에다 놓고 그라문 들어올라던 복도 지랄하고 홀랑 달아나 뻰진다니께요. 지깟 벌거지 나부랭이가 겁나서 그럽니까요? 실컷 쌩으로 해 잡숫고 그 좋다는 약 남들처럼 입가심 삼아 드시면 몸도 맴도 헐렁헐렁해질 텐디…….

※ 본문의 기생충 관련 정보는 《구충록》(정준호, 후마니타스, 2023.)을 주로 참고하였습니다.

구독은 선택 추천은 필수

천생 마이크 체질이다!의 반대말은, 그러나 길수에게는, 속칭 카메라빨 어쩌고가 아니었다. 그냥 너 참 드럽게 못생겼다!였다. 오죽하면 어릴 적 별명이 하마 남길 수는 없었다였을까? 굳이 덧붙이자면, 옥상에서 떨어뜨릴 때 도저히 남길 수는 없었다거나 UFO에 태워 보낼 때도 차마 남길 수는 없었다 중 하나가 될 터였다. 성현의 가르침으로는 모든 게 귀에 거슬리지 않아야 한다는 나이 육십이 머지않은 지금도, 이제 그렇게까지 말하는 사람은 없었지만, 본질적으로 달라진 건 없었다.

"저, 아저씨! 죄송하지만 카메라는 진짜로 사양할게요."

방금 즉석 인터뷰에 실패한 여학생 하나도 그런 편이었다. 아니 확실히 그랬다. 길수가 들이대는 카메라를 피하며 단호하게 입을 다문 것이다. 아마도 피해자 가운데 한 명이리라. 어쩌면 가해자인 교수를 대동하고 내려와 집회 현장에서 진심 어린 사과를 받아낼지도 모르겠다던 풍문의 주인공일 것이다. 어차피 불발된 장면이었지만 생각할수록 아깝기는 했다. 그 아쉬운 구도가 단독 샷마저 거부하고 있었다.

"저희가 모자이크 처리에 음성변조까지 해 드릴 건데도요오?"

아! 학생은 잠시 길수의 호소력 짙은 중저음에 멈칫하기는 했다. 노천임에도 불구하고 이른바 동굴 벽을 때리는 듯한 웅장한 울림? 그러나 역시 그 소리가 울려 나온 근원을 확인하고는 완곡하면서도 완강했던 처음의 자세로 되돌아섰다. 이래서 카메라발의 반대말은 마이크 체질일 수가 없는 것이다. 아니, 차라리 그 역이었던가?

어느새 혼자 남겨진 길수는 최대한 신속하게, 그러나 가장 합리적으로 결정을 내려야 했다. 오늘 새벽 목숨을 끊은 또 다른 교수의 어수선할 영안실을 찾아 취재를 좀 더 이어가야 할까? 그거는 센슈얼하기는 하겠지만 아무래도 좀 지나친 감이 없지 않았다. 그렇다면 지금까지 촬영한 분량만으로 오 분짜리 엑기스를 뽑아낼 수 있을까? 편집에 타이틀 작업을 거쳐 이번 호를 업로드하기까지는 채 하루의 여유가 있을 뿐이었다. 길수는 왠지 더는 서두르고 싶지 않았다.

방금 학생이 한 행동을 흉내 내어 늦은 가을 하늘을 올려다보며 호흡을 가다듬는 길수의 눈에 잡히는 게 있었다. 건물 맨 위층에서 낙엽 지는 창밖을 어둡고 무거운 표정으로 내다보고 있는 중년에서 초로까지로 가늠될 남자였다. 직감적으로 이번 사건의 장본인 가운데 하나임을 알 수 있었다. 길수는 자신이 운영 중인 방송의 타이틀을 길게 부착한, 해상도 4K에 HDR 기본 기능의 카메라를 서서히 들어 올려 조심스럽게 그를 겨냥했다.

정작 길수 자신은 이 카메라의 렌즈를 마주해 본 적이 없었다. 셀프 촬영은 물론 타이머나 원격 기능을 활용하지도 않았다. 이치는 간단했다. 본인의 육안으로 직접 자기 자신을 볼 수는 없는 노릇이었다. 텔레비전의 보도물을 보면 요즘도 기자가 취재원과 마주한 상황에서 간혹 자기 얼굴을 번갈아 노출하는 장면이 있었다. 당신의 아픔이나 억울함에 충분히 공감한다는 안쓰러운 표정을 듬뿍 담으면서 말이다.

길수는 이것이야말로 가짜뉴스의 전형이라고 생각했다. 어떻게 한 대의 카메라로 동시에 정반대 방향을 클로즈업할 수가 있단 말인가? 지나간 80년대 미국 영화 <브로드캐스트 뉴스>의 치명적인 장면에서처럼 차라리 눈물을 흘리지 그래! 길수는 끝끝내 받질 않는 카메라발 때문에도 그랬지만, 자신이 렌즈 뒤에 놓이는 이 조작 불가의 구도가 심히 만족스러웠다.

그렇다고 예의 동굴 중저음을 남발한 것도 아니었다. 취재 시에도, 또 제작 중에도 절제의 미덕을 잃지 않았다. 깜짝 효과음이 삽입되고 호소력 짙은 배경음악이 흐르는 가운데 나름 촌철살인의 자막 달기가 방송의 기본 포맷이었다. 꼭 내레이션이 필요한 지점에서도 중립적인 느낌의 AI 기반 프로그램을 주로 활용하였다. 취재를 마친 자료가 충실치 못한 경우에만 자신의 육성을 입혀 설득력을 높이는 융통성을 드물게 발휘할 뿐이었다. 굳이 이번 아이템을 밀고 나가자면 오늘 치러야 할 밤샘 작업이 그런 드문 사례로 기록될 수는 있었다.

*

"야, 남길수 나와라! 아무리 그래도 우리의 남길수를 남길 수는 없지!"

"아, 왜 또 나냐?"

"괜히 빼지 말고 나가라! 속으로는 안 불러주면 어쩌나 하고 있었으면서."

중고등학교 시절 장기 자랑의 대미는 호불호 어떤 의미에서든 길수에게 맡겨졌다. 질리지도 않고 최신 유행가를 불러대던 아이들이 시간 관계상 아쉽게도 흥을 내려놓아야 할 때가 되면 어김없이 길수의 목소리를 찾았다. 장하던 금전벽우 찬재되고 남은 터에나 까로미오 벤 끄레디미 알멘처럼 가사도 제대로 헤아리지 못하는 교과서 속 동서 불문 가곡들로 길수는 친구들의 여망에 훌륭히 부응할 수 있었다. 급전직하 좌중을 숙연케 하는 마력이 그의 성대에는 숨어 있었다.

마성은 여기서 그치지 않았다. 매일 아침 명상의 시간, 주옥같기만 해서 더 귀에 들어오지 않는 그 좋은 격언과 교훈 역시 길수의 입을 거쳐야 하였다. 방송반 담당 교사의 특채에 힘입어 이번에는 육성이 아닌 일부 설비를 이용하여야 했지만, 그 효력만큼은 변함이 없었다. 급우들은 이구동성 명상을 넘어 몇 분간만이라도 숙면을 보장하는 천상의 하모니라고 칭송했다. 여기서 하모니란 표현은 배경음악의 역할마저 소홀히 하지 않으려는 순수 정의감의 발로였다. 한밤중도 아닌 새 아침에 꿈결과도 같은 꿀잠을 보장한 공로가 쇼팽의 <야상곡>에도, 그것도 주로 제2번에 있었음이다.

길수의 풍부한 성량과 기름진 음색은 일단은 거기까지였다. 길수가 일테면 성악과나 연영과 진학에 실패했기 때문이었다. 실은 시도조차 해보지 않은 일에, 그것도 자신에게 귀책 사유가 없는 사안에 실패라는 말이 가당치는 않았다. 입에 담기에도 우세스러운 집안 형편상 대학은 꿈도 꾸어볼 수 없었다. 그럼에도 길수는 감히 남 탓을 하려고 들지 않았다. 명상의 시간에 자신이 낭독하던 가르침대로였다. 그러나 현실은 그렇게까지 명상적이지 않았다. 나름 화려했던 학창 시절을 끝마치자마자 열아홉 청춘 남길수는 제 이름처럼 또래 친구들에게 뒤처져서 홀로 남겨질 운명이었다.

"뭐야? 너 마스크가 왜 이래? 카메라빨은 더 심하겠는걸!"

"그래도 목소리는 좋습니다."

"마이크도 안 잡을 건데 목소리는 무슨? 뭐 나머지는 되는 대로 배우기로 하고, 우선 당장은 줄이나 잘 잡아 보도록! 네가 끝까지 그 줄을 놓지 않는다면 말이지만……."

이름보다는 별명으로 더 많이 불린 덕은 과연 헛되지 않았다. 세상은 길수를 그냥 남겨둘 수는 없었던 모양이었다. 구직, 즉 무직 반년 만에 취재와 중계 전용 ENG 카메라의 보조 겸 수습 기사 자리가 길수한테 떨어졌다. 지방 방송국의 행정 직원이었던 멀지도 가깝지도 않은 친지의 침방울이 소나기처럼 쏟아지는 알선 공치사와 더불어서였다. 어쩌면 그 낙숫물은 감당하기에는 턱없이 버거운, 말하자면 종이우산 값이 쥐어졌을지도 모를 일이었다. 하지만 길수는 신방과 졸업장도 없이 굴지의 키스테이션으로 위장 취업이라도 된 듯 새가슴을 모아 이 모든 과정을 감내하였다.

새가슴은 길수만의 소유가 아니었다. 대장으로 섬기라는 카메라맨 앞에서 피사체들은 지위 고하를 막론하고 열에 아홉 잔뜩 주눅이 들어서 벌벌벌 떨기 일쑤였다. 방송국 로고를 붙인 한낱 기계의 위력을 길수는 늘어지고 꼬이기 마련인 카메라 케이블과 씨름하며 지켜보아야 했다. 한 급수 위인 듯한 조명 담당이 몇 차례인가 바뀐 것과는 달리 길수는 이 년 가까이 잡은 줄을 놓지 않았다. 실은 그 줄도 일 년여 방위 복무라는 신성한 국방의 의무 때문에 마지못하여 놓치다시피 하였을 뿐이었다.

상대적으로 얄팍한 편은 아니었으나 그간 일정한 급료도 없었다. 간혹 대장이 기분 내키는 식으로 던져주는 누런 봉투가 다였다. 그러니까 길수는 청년 비정규직의 원조인 셈이었다. 그런데 정규직이 아니기로는 대장도 마찬가지였다. 주말에 방송국 로고를 붙이지 않은 카메라로 이른바 외주 행사 촬영에 열성인 것을 보면 어렵지 않게 짐작할 수 있었다. 그때도 길수는 당연하게 줄은 물론 조명과도 드잡이를 해야만 하였다. 길수가 받는 봉투가 그런 일들을 통하여 나온다는 이치를 모를 수 없어서였다.

"야, 길수야! 언제까지 내가 이 시골구석에서 이런 일이나 하고 살 줄 아냐? 가만 보아하니 너도 그렇지만……, 사람은 큰 바닥에서 놀아야 크는 거야! 내 말 알아듣겠냐?"

무료한 야간경계병 생활 중인 길수를 틈틈이 불러내어 자기의 부업인지 주업인지를 거들게 하고 용돈도 주곤 하던 대장이 입버릇처럼 던지던 말이었다. 그러지 않아도 길수가 익히 깨우치고 있던 사실이었다. 아무리 과장과 거짓이 횡행하는 군대라지만 자신의 포부만큼은 절대 허언이 아니라고 믿고 있었다. 길수는 전역 후에도 방송 관련 일을, 그것도 서울로 올라가서 이어가게 될 거라고 틈만

나면 중후한 음성으로 공포 삼고 있었다.

*

*단독방송 순간TV 오지랖!*은 그 명명에서처럼 몇 가지 신조가 있었다. 먼저 길수 혼자서 모든 걸 꾸려나가기로 했다. 당연히 조명 담당도 케이블 보조도 있을 리가 없었다. 얼마간의 인건비도 인건비지만 여러모로 그게 뱃속 편했다. 단, 단독인 대신 다루고자 하는 소재에 구애받아서도 안 되었다. 그래서, 혹은 그래야 오지랖인 까닭이었다. 그 오지랖을 오 분 이내에 빠른 화면 전환과 짤막한 커트 커트로 펼쳐내기 위하여 순간瞬間이라는 표절성 타이틀을 덧붙였다고 보아도 무방했다. 저명한 포착 대신 TV로 두루뭉술 위장 아닌 위장을 시도하긴 했지만 말이다.

실은 매주 방송하기에는 벅차고, 그렇다고 격주는 너무 소원한 감이 있어서 고심 끝에 선택한 절충안이었다. 매달 8일, 18일, 28일 열흘 간격의 정시 게재를 고수하기 위해 순간旬刊이라는 고색창연한 중의성도 염두에 둔 것이었다. 그것마저도 가장 짧은 2월을 우선해서 그리하였다. 간격을 두 배로 늘리기는 하였으되 오래전에 빠져 있었던 오일장 기행에서 착안한 것이기도 했다. 말이 나온 김에 그 순들이 장터에서마저 사라져 버린 순정純正이나 순도純度의 순이었으면 하는 미련도 없지는 않았다.

"그러지 뭐! 아쉬운 대로 그 공원에 들러 신고 전화 샷만 몇 커트 찍으면 될 테니까. 이 건은 오늘 당장 발인이 있을 것도 아니고, 본격적인 강의도 다음 주에나 재개되지 않겠어? 그래! 매운맛에서 조금은 순한 것으로다!"

주위에 아무도 없어서 목소리를 낸 것만은 아니었다. 현재 진행 중인 아이템의 보류와 대체를 스스로 공식화하기 위한 독백이었다. 만일 팀제였다면 몇 분에서 몇 시간까지 걸렸을지 모를 긴급 미팅 연후에나 가능했을 결정을 혼자서 내린 것이다. 이런 게 단독방송만의 이로움이라고 자위하며 길수는 잠시 쓴웃음을 짓기도 하였다. 사실 따지고 보면 뭐 그렇게 크게 틀린 바도 없었다. 게다가 만약의 사태를 생각하며 은밀히 준비해 온 가벼운 아이템 거리가 있다는 것도 여러 편리함 중 하나였다.

다만, 각별히 유의해야 할 것이 없지는 않았다. 애당초 젊은 사람들에게 민감한 대학가의 성폭력 이슈를 밀어내고 급하게 자리를 차지한 잔잔하고 차분한 공원 풍경이라서 더 그랬다. 바로 모자이크와 음성변조! 그것도 단호하기보다는 아슬아슬하게……. 등장인물이 대학교수처럼 어느 정도 지명도가 있는 경우, 많은 사람이 짐작할 수 있게 최대한 그 탁도를 낮추었다. 반면에 평범하기 그지없는 일반인이라면 당사자나 주변 사람들만이 어렴풋이 눈치챌 수 있도록 세심하게 처리하였다. 더욱이 이번에는 길수도 잘 아는, 아니 그냥 잘 안다고 말하기에는 부족하기 이를 데 없는 존재가 따로 있어서 더 그럴 터였다.

*

"이번 리허설에서 블라인드 에리아 포인팅 확실하게 해라. 만에 하나 백분의 일 초라도 오차가 있어서는 안 된다. 절대 중계 본부에서 불호령이 떨어지지 못하도록……. 자, 다들 내 말 잘 알아들었겠지?"

상대적으로 한유하기만 했던 고향에서의 그 대장은 다급하고 번다한 서울에서도 대장은 대장인 모양이었다. 방송국 관련 취업 희망자 길수 포함 아랫사람들에게 엄격하고 권위까지 지닌 외주 전문 회사의 현장 팀장 자리에 올라 있었다. 그러면서도 자기보다 우위에 있는 영업상의 고객들에게는 철저하게 몸을 낮추었다. 물론 전문 직업인답게 완벽한 업무 처리 방침은 기본에 기본이었다.

일례로, 두 시간이 훨씬 넘는 42.195km의 마라톤 생중계에서 도중에 화면이 끊기거나 깨지는 꼴을 본사 정규직들보다 더 참지 못하였다. 사전에 완벽하게 라인 상태를 점검해서 미리 대책을 마련하는 것이 마치 제 책임인 양 굴기도 했다. 사실 영상 전파의 본질적 한계나 무선통신 인프라의 미비에 대응하여 잠시 광고를 내보낸다든지 급하게 그래픽 자료를 띄우는 일은 자신의 몫이 아니었다. 더 정확하게는 길수가 임시로 소속되어 있는 협력 업체로서도 계약서상 명시된 업무의 범위 밖이었다.

그렇다고 해서 길수에게 맡겨진 일이 여전히 케이블이나 조명 따위를 거드는 수준은 아니었다. 고정된 카메라를 더 이상 자신이 신경 쓰지 않아도 되는 이동 중계차 탑승이었다. 거기에서는 그런 것들보다 그때그때 능동적으로 대처해야 할 사태가 많이 발생했다. 자료철이 바람에 흩날리지 않게 방비하는 것은 물론, 우천이나 연무 시 캐스터와 해설자의 우비도 챙겨야 하였다. 한 번은 미세한 물기가 시나브로 스며든 철제 의자에서 연달아 미끄러질 뻔한 그들을 중계가 끝날 때까지 붙들어 주어야 한 적도 있었다.

"왼발, 오른발! 다시 왼발, 오른발! 한 걸음, 두 걸음, 또 한 걸음, 또 두 걸음! 마치 우리 조국의 탄탄한 앞길을 상징하는 듯 팔차선으로 탁 트인, 이제 막 개통한 이 도로를 힘차게 내닫는 대한의, 아니 세계의 건각드을? 어째 맨날 멘트가 발이나 걸음이나 다리 아니면 말이 안 되냐? 누가 입으로 달리는 것 말고는 별거 없는 마라톤 중계 전문 아니랄까 봐!"

어떤 면에서는 같은 편이라고 할 수 있는 길수마저 감히 흉을 볼 정도로 갖가지 케이블 채널 등 바야흐로 영상 미디어의 중흥기였다. 긴박한 현장 분위기에 어울리지 않는 나지막한 오디오로 흉내만 내어야 했지만 말이다. 바로 서울에서 아시안게임과 올림픽을 연달아 치르고 나서 벼락같이 맞이한 세기말에도 길수가 그 바닥에서 발을 떼지 못한 이유이기도 했다. 실은 마땅히 따로 할 일이 눈에 들어오지도 않았다.

사람들이 아직도 신기한 듯 방송 관련 작업을 바라보는 시선에는 일종의 중독성이 있었다. 처음에는 그 중독성이 단순한 심리적 위안이나 보상 같은 걸로 길수에게는 받아들여졌다. 무엇 하나 내세울 것 없는 자신이지만 그래도 뭔가 그럴듯한 일을 하는 당당한 구성원 가운데 하나라는? 그래서 길수는 본디 더럽게 못생긴 카메라빨을 숨기지 않고 외부인 통제에도 전력을 다하였다. 그것이 어떤 의미에서는 신기루와도 같은 권력을 누리는 묘한 짜릿함이어서 그러는지도 몰랐다.

하지만 최종 학력도 일천하고 담당 업무도 일정하지 않은 길수는 지상파 출신의 경력직 캐스터와 같은 현실적 대접은 꿈에서조차 꿈도 꿀 수 없었다. 다만, 다채로운 하도급 계약 직종을 전전하는 과정에서 관용적 표현의 원뜻 그대로 어깨너머로 배운 것들이 적지는 않았다. 특히 한쪽 어깨 위에 얹어 놓고 혼자서 돌아다니며 찍어대는 포터블 카메라에는 어느 정도 정통하게 되었다. 하기는 그 카메라의 조상뻘 줄을 잡으면서부터 시작한 생활 아니었던가.

*

"가만, 바람막이의 소매 깃이 나오는 게 아니었나? 아니지! 어차피 내가 지켜보고 있었다는 걸 알라는 거니까. 하필 굳이 그러지 않아도 끝까지 방송을 구독하기만 하면 뻔히 알 수는 있을 테니까……."

액정 상단에 수신자 번호가 드러난 상태의 휴대전화를 촬영해야 하는 세 개의 커트였다. 물론 일부 번호는 나중에 뭉개는 작업을 할 것이다. 전화를 길수가 한 손으로 직접 들어야 해서 본의 아니게 부분적인 자가 노출이 발생하였다. 아예 벤치에 올려놓고 새로 찍을까 하다가 지난번에도 그렇게 했었다는 생각에 방송의 일관성 차원에서 마음을 접었다. 다행히 그때나 지금이나 취재용 복장은 별반 다르지 않았다. 아무튼 이번 아이템은 모두 네 개의 하위 에피소드로 이루어질 것이었다. 각각 일 분 남짓의 구성에서 마무리는 누군가와 통화하는 장면이었다.

서울특별시의 경계에서 제법 벗어난 길수의 아파트보다도 더 외각에 위치한 야트막한 산자락 한편의 이 생태공원을 찾게 된 건 순전히 우연이었다. 아니, 결과적으로는 필연이라고 해야 하나? 썩 나쁘지만은 않은 방송 아이템을 얻게 된 것 말고도 그렇게 보아야 할 요인이 더 있지만 말이다. 이제 추가나 보충 촬영을 시도할 필요도 없이 마음마저 여유로웠다. 공원을 한 바퀴 휘둘러보는 길수의 앵글에 네 가지 에피소드의 주인공들은 단 한 사람도 포착되지 않았다. 어느새 하루하루 짧아지는 가을 해가 떨어질 시간이 된 것이다.

역시 시간순으로 편집하는 편이 간단하면서도 무난하리라는 판단이 든 것은 그래서였을까. 처음에는 연령을 기준으로 하여 점차적이든 그 역순이든, 아니면 노-소-노-소나 소-노-소-노의 구성을 염두에 두었었다. 하지만 세대를 교차하는 방식은 세부적인 조합에서 너무 경우의 수가 많아질 것 같아 망설이던 차였다. 그리하여, 공짜 섭생에 걸신들린 노욕의 사이비 자연인, 도도한 표정과 한층 싱그러운 몸매의 자유주의적 여성 견주, 산 아래 남녀공학 소속의 폭주 하이틴 커플, 확실하게 부부는 아닌데도 제 딴에는 잘 어울리는 저물녘 중년의 아베크족, 대략 이런 순이었다.

며칠 전 오후 나절 동안 진득하니 지켜보며 공공연히, 또는 암암리에 촬영까지 감행한 가을날 공원에서의 다채로운 인간 군상이 오지랖을 풍성하게 장식해 줄 것이다. 십 초 미만의 짧은 신을 대여섯 개 정도 번갈아 끼워 넣으면 이른바 순간TV의 정신을 훌륭하게 구현해 줄 터였다. 그렇지만 이번 호가 길수 혼자만의 공은 아니었다. 어쩌면 한 번도 발걸음을 내딛지 않았을 이 으슥한 생태공원의 존재를 깨우쳐 준 은인이 따로 있기 때문이었다. 이쯤에서 전화라도 한 통 넣어보는 것이 마땅한 도리이리라. 별로 어려울 까닭도,

민망할 필요도 없는 일이니까. 이참에 감미로우면서도 적확한 딕션 능력이나 발휘해 보는 것도 그리 나쁘지는 않았다.

"어, 여보 어디예요오? 아직 현장이라고요? 거기다가 좀 늦어질지도 모르겠다고요오? 내 저녁밥이야 뭐 작업에 빠져들다 보면 잊어먹는 게 다반산 걸요. 그런 거에 구애받지 말고 애초에 당신이 정리하기로 했던 일이나 제발 무사히 끝마치도록 해요오오!"

*

"야, 남길수 인제 됐다. 너 그만 나가라! 언제까지 여기 남겨 놓고 이런 식으로 먹고살게 할 수는 없는 노릇 아니겠냐?"

"예? 사장님! 저 드디어 해고인가요? 하기사 확실하게 고용된 기억도 기록도 없기는 하지만서도요."

"이 자식이 그동안 사람을 어떻게 보고? 독립하라는 말이잖아. 프리로 카메라나 하나 들고서는……. 내가 일은 얼마든지 물어다 줄 테니까 너 찍고 싶은 거 마음껏 찍으면서 어디 한번 돈도 네 깜냥껏 벌어보라니까."

일단은 공짜로 들 수 있는 방송용 카메라란 존재하지 않았다. 장기 리스든 할부 구매든 비용이 많이 들어갔다. 예전 대장답게 사장이 물어다 준다는 먹을거리도 무한정은 아니었다. 이미 이 바닥에서 떠돌고 있는 뜨내기들만으로도 포화 상태였다. 후발 주자인 길수는 주로 읍면 단위의 뒷골목 장터를 기웃거려야 했다. 그나마 능력대로라는 수입만이 가장 정확했다. 길수가 계산에 약해서도 그랬겠지만, 편당 납품 단가가 굳이 세어볼 필요도 없이 너무 얄팍했다.

그러면서도 중간에 수수료나 알선료 따위의 명목으로 도려내는 살점들에는 그야말로 칼날 같았다.

아무개 아가씨, 미스 무엇무엇, 어쩌고저쩌고 축제, 무슨 무슨 풍물 장터 따위의 지역 행사 스케치로부터 시작해서 구름 따라 산촌 바람 따라 어촌, 고향이면 반갑고 타향이면 정겹고, 텔레비전에 우리 마을이 나왔으면 정말 좋겠네! 등등의 레트로 감성 파일럿에 이어서 어쩌다 원조 미녀? 앗, 신세대 마녀! 현장을 가다, 사장님 나빠요! 오늘도 카메라를 들이대 보았습니다 유의 키치적 고발 장르까지…….

이루 다 헤아릴 수도 없는 리스트에서 엿볼 수 있듯이 길수가 꾸준히 납품을 담당한 프로그램들은 이른바 통통 튀는 내레이션의 VJ 포맷이었다. 애석하게도 여전히 길수의 꿀 보이스가 맞물릴 여지는 없었다. 그리고 마이너 유선 매체나 지상파의 지방 계열사 전담이었다. 상대적으로 전국적인 지명도가 떨어지는 대신에 카메라를 놀릴 수 있는 운신의 폭이 넓었다. 그만큼 말을 잘 듣는 대상들을, 톡 까놓아서 아직도 카메라를 의식하고 두려워하는 사람들을 제물로 삼았다는 뜻이다. 가령, 그래도 가장 최근이었다고 할 수 있는 뒤의 두 고발 코너에서처럼.

"피디님! 황매환데요. 저, 쫌 들어갈게요. 괜히 넉넉지도 않은 제작비 낭비할 필요 없을 거잖아요? 대신에 절대로 엉뚱한 생각, 하시면 안 돼요."

"어어, 리포터니임! 이 좁은 바닥에서 빵으로라도 스캔들 나면 큰일 난다고 호텔에서 주무시겠다고 하시지 않았었던가요오?"

이미 십몇 년도 훨씬 전에 처음이자 마지막으로 치러진 황매화아가씨 선발대회의 등외 입상자였다. 굳이 확인까지 해보지는 않았지만, 정말로 진선미 해당자가 없어서 자신이 원조이자 유일한 황매화라고 했다. 당시에는 마녀 복장을 하고 가벼운 생활 질서 위반자를 적발하는 캐릭터로 길수와 장기 협업 중이었다. 그때도 제작비에 프리랜서의 모델비는 포함되어 있지 않았다. 그리고 진짜로 길수는 황매화를 두고 엉뚱한 마음을 품지도 않았다. 실은 품을 엄두도 여력도 없었다. 아울러 그것은 지금이나 그때나 일절 흔들림이 없는 심정이라고 굳게 믿고 있었다.

고맙게도 황매화가 아니었더라면 애초에 사장이 말한 깜냥껏의 깊은 의미를 깨우치지도 못했을 것이다. 그녀와 함께하기 위해서는 돈이 필요했다. 적나라하게 야수가 미녀를 만족시키기 위해서는 더 많은 돈이 필요했다. 그리고 그 액수는 기존의 남길수 식으로는 턱도 없는 것이었다. 다행히 지방 중소도시의 자영업자들이 채워줄 수는 있었다. 주방의 애매한 위생 상태나 인도를 일부 점유한 입간판 같은 것 덕분이 아니었다. 그보다는 뭔가 더 선정적인 영상 클립을 지워주어야 하였다. 흡사 빨려들 듯이 그윽한 눈빛을 지닌 서남방 태생의 여자아이가 길수 앞에서 애걸하듯 빈약한 몸매를 고스란히 드러내는 장면을 간직하고 있는…….

가까스로 길수는 그 아이보다 자신이, 그리고 자신보다는 황매화가 더 안쓰러워야 한다는 다짐으로 낡은 카메라를 지탱할 수 있었다.

*

살인적인 극초절정 고분양가 결사반대!

이럴 줄 알았으면 그때 임대 말고 그냥 분양으로 밀고 나갈 걸 그랬었나. 그건 그렇고 조만간 이 건도 취재해서 방송으로 올리긴 해야 할 텐데. 아, 모처럼 소재 제공자인 황매화를 출연시키는 것은 어떨까? 그건 너무 방송의 사유화인가? 길수는 아파트 단지 입구의 죽음으로 시작해서 죽음으로 끝나는 플래카드를 보며 꽉 막히는 운전 중에 잠시 그려본 시놉시스를 하마터면 잊을 뻔했다.

오 년의 임대 기간이 이제 종료까지 한 해 남짓이었다. 우선 민영 임대아파트에 입주하고 여유 자금을 투자로 돌리자는 황매화의 주장은 거부할 명분이 없었다. 그녀는 공인중개사 자격증 소지자에 기획부동산 전문가로 변신해 있었다. 결과적으로 그 투자가 여의찮아지다 보니 이제 그런 생각이 드는 것일 뿐이었다. 하지만 일 년 안에 대반전이 일어나지 않는다면 어디로 가야 하나? 그것보다도 가긴 가더라도 그게 지금처럼 황매화와 함께일까?

"피치 버트, 산책은 내일 날이 밝으면 엄마하고 하자! 어서 들어와 밥 먹고 코 자야 착한 아이지?"

이렇게 늦을 줄 알았으면 거실에 불을 켜 두고 나가는 거였나. 취재가 학생들의 집회까지였다면 상관없었을 텐데, 공원에도 다시 들러야 했고 러시아워의 도로도 돌파하여야 했다. 아니, 차라리 황매화가 애를 낳아서 키웠다면……. 딸 대신 기르겠다고 실룩이는 뒤태의 웰시코기 암컷을 들인 것은 바로 황매화였다. 복숭아 궁둥이라 불러주며 정을 붙이고, 또 그 정에 주리게 만든 것도 황매화였다. 혼자와 어둠을 싫어하는 녀석은 센서 등이 명멸하는 현관 앞에서 서성대고 있었다. 그러다가 문이 열리자마자 복도로 내달아 급한 마음의 길수를 몸마저 다급하게 했다.

길수가 팸플릿상 24PY형 맨션 깊숙이 골방으로 들어설 수 있었던 시간은 그래서 더 늦어졌다. 엄밀하게는 제 집이 아님에도 소음과 광선으로부터 완벽하게 차단되도록 작업한 스튜디오 겸 편집실이었다. 방송용 카메라와 마이크, 그리고 조명이 한 세트를 이루고 있는 상태 그대로였다. 테이블 양옆으로 듀얼 모니터, 그 사이에 컴퓨터와 콘솔박스 역시 변함이 없었다. 그러나 벽 뒷면을 가득 채우고 있는 실사 스크린은 이물스럽기 그지없었다. 그것 역시 길수가 주문 제작하여 직접 매단 것인데도 그랬다.

오지의 마법사. 길수의 익숙한 *단독방송 순간TV 오지랖!* 폰트가 아니었다. 굵직한 진녹색의 글자들 틈바구니에서 빨간 벙거지를 쓴 채 기다란 플라스틱 빗자루를 들고 서 있는 황매화는 자못 도발적인 표정이었다. 사실은 예전 방송의 마녀 콘셉트를 차용한 것이었다. 것이기는 한데, 지금의 나이에 비해서 한층 젊어 보이도록 포토샵으로 상당 부분 손질이 되어 있었다. 그리고 이 방 안에서 손질을 시도한 것은, 그러니까 사실과는 다르게 매혹적으로 보이도록 약간의 조작을 가미한 것은 이것만이 전부는 아니었다.

"오늘 저랑 함께 보실 매물은 강원특별자치도 화천군 소재의 임야인데요, 삼백십삼 쩜 사오 제곱미터, 평수로는 구십오가 쪼금 안 되구요, 덩치가 작은 만큼 깔끔하게 필지 분할 불가입니다. 그리구 명목상 해발 칠백 고지이긴 하지만, 뭐 고산지대인 강원도에서는 평지나 다름없는 땅입니다. 저보다 잘 알고들 계시죠? 게다가 가까이에 국도와 철로가 동시에 지나고 있어 개발 호재로 작용할 가능성이 상당히 큽니다. 추후 매매가 조정도 가능하시구요. 시청자 여러분께서도 개인적으로 위성 사진을 통해 확인하실 수 있으시겠지만요, 이제부터 저희가 직접 현지까지 달려가서 발로 땀으로 뛰면서 취재한 영상 자료를 보시면서 아주 상세하게 분석해 드립니다. 남들보다 한발 앞서 오지에 투자해서 돈 버는 마법의 세계! 빠져들 준비, 다들 되셨나요?"

제 꾀에 제가 빠져버린 황매화가 기필코 손실을 만회해 보겠다고 짜낸 또 다른 술수였다. 스튜디오 조성에서 장비 설치는 응당 길수의 몫이었다. 그렇지만 필드 체질인 길수로서는 막상 신경 쓸 것이 한둘이 아니었다. 몸으로 뛰었다는 현장 취재도 그랬다. 황매화가 일러주는 대로 매물을 찾아가 보면 오지도 오지지만 태반이 맹지였다. 길수는 자신에게 황매화와 같은 마력이 솟아나질 않는다고 새삼 느끼면서도 카메라의 앵글을 조절하여야 했다. 그때 실제로 적발한 영상을 지우던 것과 지금 가상의 풍경을 연출하는 것은 전혀 별개의 능력이었다. 멀리서 보이는 비포장도로가 최대한 가까워지도록 세심에 세심을 다하는 도리밖에는 없었다.

그런데도 황매화의 방송은 오래 지속되지 못하였다. 누가 허위나 사기라고 신고를 한 때문은 아니었다. 당장 중단하라는 협박이나 압력이 들어오지도 않았다. 황매화가 이런저런 구실을 붙여가며 생방송 현장에 나타나질 않은 것이다. 자신이 있어야 할 곳은 이 좁아터진 스튜디오가 아니라 아무래도 현물들이 살아서 날뛰는 바깥인 것 같다고도 했다. 어쩌다 보니 구매 의향이 있어 보이는 사장님과의 상담 전화가 한정 없이 길어졌다고도 했다. 이번에야말로 확실한 작자가 나선 김에 함께 매물을 둘러보러 시골에 다녀와야 한다고도 했다. 수리수리 마수리를 중단한 **오지의 마법사**가 신통력을 발휘하고 있는 셈이었다.

길수는 본격적으로 작업을 시작하기에 앞서 지난번 호의 조회수를 확인해 보았다. 당연히 황매화의 그전 방송들과는 첫 단위부터가 달랐다. 그러나 끝자리만큼은 변함이 없었다. 분명히 189! 거기에다가 천을 곱하라는 K가 붙어 있는 것도 아니었다. 아무튼 자기 방송조차 들여다볼 여유가 없는 황매화를 포함해서 그 누구도 더는 추천은커녕 구독조차 시도하지 않은 것이다. 그렇다면 오늘 밤 작업의 피날레는 최종 확정이었다. 길수의 꾸밈없는 육성들이 온전히 들어가는 것으로다.

아뿔싸! 마녀 황매화가 예상외로 이른 귀가를 했는지도 모르겠다. 그냥 들으면 쩌렁쩌렁하게 천지사방 퍼져나갔을 피치 부트의 짖는 소리가 희미하게 방음벽을 타고 스며들어 왔다. 길수는 그 무엇에도 아랑곳하지 않고 첫 대박을 기원하며 혼자만의 마법에 몰입하였다.

*

타이틀. <급> 누가 이 사람을 모르시나요? <구>

프롤로그. 가을날 한적한 생태공원의 오후

- 포커스를 흐릿한 원경에서 선명한 근경으로

EP01. 나는야 넘치는 도시의 자연인

S#1. 반바지와 민소매로 벌꿀오소리를 연상케 하는 걸음걸이의 중늙은이?

S#2. 풀숲에 널려 있는 빨간색의 작은 열매들을 게걸스럽게 주워 모아 배낭에

(sub) *꾸지뽕이 아니라 소화 불량에 좋다는 산딸나무 열매로 밝혀졌지만……*

S#3. 기운을 주체하지 못하겠는지 나무를 끌어안고 씨름하는 꿈나무 자연인

S#4. 이번에는 연달아 태권도의 2단 옆차기 자세로 그 나무를 처절하게 응징

S#5. 후드득! 우수수! 미처 덜 물든 모과 여남은 개 역시 탐욕의 배낭 속으로

(sub) *어르신 여기서 이러시면 우리 시민의 공원은 모과(뭐가) 됩니까?*

EP02. 이 아이는 절대 안 문다는데도

S#1. 진분홍 패딩, 연회색 레깅스에 테이크아웃 커피를 든 여자의 워킹 뒤태

S#2. 비슷한 색상, 디자인의 겉옷을 입은 포메라니안의 자꾸 뒤처지는 스텝

S#3. 오르막길에서 여자와 포메라니안 말 그대로 팽팽한 줄다리기

S#4. 보기에도 민망한 자세로 몸을 굽혀 슬그머니 목줄을 풀고야

마는 여자

S#5. 뒤돌아 카메라(정확하게는 맨)를 향해 달려드는 야성 반려견

(ins) 겁도 없이 회색곰에 돌진하는 옐로스톤 늑대의 안면 클로즈업

(cap, 2배속) 아저씨! 지금 우리 아이만 야금야금 찍으신 거 맞죠? 얘가 웬만큼 해서는 아무한테나 막 이러지 않걸랑요!

EP03. 아하! 애정이 꽃피는 시절

S#1. 까르르 달리는 여학생과 왠지 진지하게 뒤따르는 남학생

(sub) *14:35:13:54~14:35:21:88*

S#2. 같은 시각 한창 수업이 진행 중인 교실의 전경 대비

(sub) *14:35:21:89~14:35:27:02*

S#3. 착 달라붙어 앉아 이야기꽃 만발 중인 하이틴을 엿보는 줌업 앵글

S#4. 막 입에 문 담배를 빼앗아 던져버리고 기습 키스 뒤 도망치는 남학생

S#5. 다시, 나 잡아 봐~라! 놀이 삼매경에 빠진 불타오르는 청춘들

EP04. 왜? 왜? 우리 사이가 어때서

S#1. 천민자본주의적인 분위기의 남녀를 멀리서 주시하는 카메라

S#2. 상호만 모자이크 처리된 인근 모텔의 간판들 클로즈업

S#3. 두 손을 꼭 잡은 채 담소와 산책을 이어가는 중년 커플

(eff) 옛날 유선전화 벨 소리 최대한 갑작스럽고 날카롭게

S#4. 피치 못 할 사이인지 혼자서만 멈추어 서서 한동안 통화

S#5. 통화 뒤 머뭇거리다가 날 듯이 남자에게 뛰어가는 여자

(BGM) 루치아노 파바로티 <Caro mio ben>

에필로그. CALL ME ANYWAY

EP01. (발신) *031-XXX-XXXX*

(cap, 2배속) 여보세요! 거기 공원녹지과죠? 아직도 소중한 자연을 훼손하는 일부 몰지각한 시민이 있어서 제가 제보를 좀 할려고…….

EP02. (발신) *112*

(cap, 2배속) 공공장소에서 목줄을 하지 않은 반려동물에게 심각한 피해를 당했을 시 이리로 신고하는 게 맞긴 맞습니까?

EP03. (발신) *031-XXX-XXXX*

(cap, 2배속) 아직 수업 안 끝났지요? 그런데도 그 학교 학생 두 녀석이 땡땡이를 쳐서 백주대낮에 대놓고 흡연에 애정행각을 펼치고 있으니 이게 어떻게 된 노릇입니까? 도대체 학교에서 뭘 가르치길래…….

EP04. (발신) *010-3XXX-XXX6*

(cap) 여보오, 난데요! 당신 지금 강원도 깊은 산골짝이 맞지요오? 저번에 보니까 거기서어 허마한 짐승 같은 놈들을 만날 것도 같으던데에……, 그깟 땅 팔려도 그마안 안 팔려도 그만 아니겠어요오? 나는 귀하고 예쁘은 당신 안전이 우선 제일이니까 꼬옥 어두워지기 전에 그곳을 벗어나서 제발 무탈하게 돌아오세요오. 빗자루 같은 거를 올라타든 양탄자 바닥에 드러눕드은 그건 아무 소용도 없으니까아…….

옛사랑의 희미한 그림자

대자보는 오늘도 어김없이 붙어 있었다.

이미 지나간 세기의 용어인 줄로만 알았었는데……, 그 맨 아래 귀퉁이에는 주훤의 이름도 등장하고 있었다. 분명 온라인 서명도 활발하게 진행되고는 있을 터였다. 그럼에도 굳이 저런 아날로그 방식으로 의도하고 또 겨냥하는 바가 무엇인지 주훤은 모르지를 않았다. 그만큼 저들도 우리를 모르고 있었다. 그런데 나 역시 이 상황에서 대충 뭉뚱그려서 우리라는 범주화 시도가 합당하긴 한 건가? 주훤의 상념과는 상관없이 아무튼 '목요일 오전 11:00 인문대 중정으로' 굵게 밑줄 쳐져 있는 아이들의 집회는 예정대로 진행될 모양이었다. 벌써 눈에 들어차는 유튜브 방송과 취재용 카메라가 한두 개가 아니었다.

적갈색 벽돌과 담쟁이덩굴이 시그니처라는 반각형 디귿 자 모양의 고딕풍 르네상스 양식. 그 낡은 연구동 건물 맨 꼭대기 4층 중앙 계단 바로 옆 첫째 번인 주훤의 방. 오히려 심연 같은 그리로 올라가는 길에 마주친 한 무리의 학생들 가운데 소리 내어 인사를 하거나 가벼운 묵례라도 해 오는 아이는 없었다. 어떤 면에서 그것은 주휜도 마찬가지였다. 다른 점이 있다면 학생들의 태도가 요 며칠 사이에 생긴 변화라면 주휜의 무심한 듯한 대응은 한평생 일관적이라는 사실이었다.

어제까지만 해도 보지 못했던 시위 관련 스티커가 붙어 있는 육중한 원목의 질감. 도어록을 풀고 들어선 주휜은 마침 열한 시부터 시작될 두 시간 2학점짜리인 현대소설이론 수업 준비를 위하여 파티션 안쪽으로 실라버스를 잠시 훑어보았다. 말뜻 그대로 계획서이다 보니 진도와 어긋나버린 지 이미 오래였다. 게다가 최근에는 이마저도 엉망으로 꼬여버린 상태였다. 그나마 순서대로라면 오늘은 소설의 세부 장르를 가르기 위한 기준 설정 및 검증 시간이었다. 그 앞 강의 주제이기도 했던 아리스토텔레스의 비극론에서 유래한 운명, 성격, 사고의 플롯 구성 요소와도 일부 연관되는 내용이었다. 따라서 어차피 다시 다루기 어려워진 그 부분은 건너뛰고 수업을 이어가도 별문제 없을 듯싶긴 했다.

하지만 주휜은 오늘도 수업이 두 주째나 제대로 이루어질 수 없으리란 것을 직감하고 있었다. 자신은 제시간에 맞추어 현대식 강의동 제1세미나실에 도착할 것이다. 그러나 그곳은 텅 비어 있는 채이거나 서너 명의 4학년 학생들만이 자리를 지키고 있을 터였다. 그것도 흘끔흘끔 눈치를 보아가며 무언의 압력을 행사하려고 들겠지. 이로써 졸업을 몇 달 남기지 않고 집단행동에 동참하는 것은 좀 그렇지만, 후배들의 주장에 십분 공감한다는 뜻을 적당히 표하고 있음에 흡족해할 것이다. 본디 3학년 대상의 이 전공선택 과목은 그들에게 어차피 졸업에 필요한 학점을 벌충하기 위한 수단일 뿐이었다. 그러니 적절한 처신으로 얻을 수 있는 것만 얻어가면 그만이었다.

평상시 같았다면 주훤은 학생들의 이러한 처신을 매섭게 질타하였을 것이다. 손해날 짓은 절대 하지 않으려는 그네의 성향이 웬일인지 시대가 변해 가면서 줄어들기는커녕 점점 더 강해지고 있다! 이것이 삼십 년 가까운 여대 교수 생활의 주훤이 최근 들어 더욱 절감하고 있는 현실이었다. 주훤은 인기 만점인 젊은 총각 교수 시절부터 여성이라고 물러서거나 몸 사리지 말고 당당히 시대와 맞서 싸워야 한다고 역설하고는 했었다. 어불성설 나쁜 남자 신드롬에 잠시 올라탈 수 있었던 얼마 전까지만 해도 마찬가지였다. 그래야만 이 땅의 딸들이 우리 사회를 구성하는 한 축으로 당당히 대접받을 수 있다는 자명한 진리를 제자들에게만이라도 일깨워 주고 싶었다.

*

"교수님, 죄송해요! 막상 현실로 나가보니 그게 막연히 맞서 싸우기에는 너무 강한 벽이고, 또 제가 그만큼 능력이나 의지 면에서 준비가 되어 있지 않다는 것을 금방 절감하게 되겠더라고요. 백기투항이건 백지 투척이건 상관없이 편안히 쉴 그늘을 찾게 되는 건 어쩔 도리 없는 오늘날 저희들만의 숙명인 것도 같아요. 단 현재로서 확실한 것 한가지는……, 제가 그 그늘 속으로 들어가게 되더라도 스스로의 선택에 부끄럽지 않으려고 최선을 다할 거라는 점이에요."

그게 벌써 근 한 세대 전이었던가. 학부 때부터 주휜을 몹시 따랐고 주휜도 그녀의 명민함을 비롯해서 여러모로 눈길이 갔던 대학원 졸업생이었다. 주휜이 강권한 박사과정 진학도 포기한 채 교직으로 나간 지 이태 만에 돌아와서는 내빈용 탁자 위로 슬며시 청첩장을 내려놓으면서였다. 집안끼리도 잘 아는 대학병원의 전공의와 이제 곧 식을 올리게 되면 뱃속 편하게 들어앉아서 애 키우고 살림만 하기로 합의하였다는 사실을 덧붙여 털어놓으며 그녀는 눈물짓고 있었다. 세속적으로 부러워하고 축하해야 할 결혼에 이르면서도 주휜 앞에서만은 그것이 부끄러운 선택이었음을 고백해야 할 정도로 옛 제자들은 그 무엇인가가 있었다. 오죽하면 식에 참석할 생각조차 없었던 주휜이 우는 신부를 다 달래주어야 했을까?

몇 해 전 회갑 기념 논총을 발간할 즈음에는 언뜻 청첩용 같은 날렵한 봉투를 들고 찾아와서 마땅히 실렸어야 할 자신의 논문 대신으로 받아달라고 했다. 기대와 가르침에 두루 보답하지 못해 한없이 송구하다며 주휜이 사양한 금일봉을 다시 집어 들고 돌아서는 신도시 종합클리닉 대표원장 사모님의 뒷모습에서 예전의 죄책감은 찾을 길 없었다. 오히려 자신의 다짐처럼 그늘에서 최선을 다한 자의 여유랄까 품격마저 풍겨올 때 주휜은 아득한 배신감을 느끼기조차 하였다. 하지만 인사치레의 빈말이라도 여전히 젊었을 적의 순정한 고뇌를 연기하고 있는 듯하여 그런대로 참고 봐줄 만은 했었다.

지금 그녀들의 딸들은 많이 달라져 있었다. 그게 주휜은 내심 당황스러웠고 가끔은 못마땅하기까지 했다. 본질적으로 어머니 때와 세상의 틀이 그리 크게 변한 것이 없다는 사실에 민감하게 반응하는 것은 주훤도 얼마든지 이해해 줄 수 있었다. 다만, 그 세상과의 관계에서 어디까지나 스스로가 선택한 결과를 받아들이는 데에 말하자면 일관성이 부족했다. 비근한 경우로, 평등과 정의를 갈망하는 의욕이 필연적으로 겪게 마련인 좌절과 실의의 원인을 사회 구조적인 토대 위에서 찾는 것은 좋았다. 그러면서도 요행히 하나의 작은 성취에라도 이르게 되면 그것은 온전히 자신들만의 노력과 능력으로 돌리는 듯하였다.

"고색들도 창연한 모파상의 여자 잔느보다 플로베르의 엠마가 더 현실적으로 핍진한 인물이라는 그 천박한 평가의 근거는 과연 무엇인가요? 아니할 말로 성적 자기 결정권이라는 따끈따끈한 현시대적인 이슈에서 그런 인상을 받았다면 저는 정중히 사양하도록 하겠습니다. 그건 아마도 이름 모를 잔느들이었을 이 땅의 서글픈 어머니들을 모독하는 일이 될 테니까요. 아울러 그들의 철없는 딸들이 인격적으로 덜떨어진 음녀, 마담 보바리의 전철을 밟도록 방관하는 일이 될 수도 있으니까요. 어쩌면 여기서 백 년도 훨씬 전 두 프랑스 여자의 수절과 출분이라는 상반된 선택이 지금 이 땅의 여러분들이 그렇게나 높은 가치를 부여하고 있는 헤어 스타일이나 탈코르셋 같은 의도된 자기 연출은 아닌지 모르겠습니다마는……."

여느 때라면 공시족들의 고질처럼 불거져 나왔을 법한, 잔느가 아니라 잔이 원어 발음상으로나 외래어표기법으로나 맞을 거라는 지적도 없었다. 학생들의 싸한 반응에 부딪혔던 주훤의 적나라한 예시는 본질적인 부위를 건드려 주려는 의도된 기획일 뿐이었다.

마음속 깊이서 우려하고 있던 제자들의 미망을 밝히려는, 그래! 어떤 의미에서는 악마의 속삭임이었던 셈이다. 예전 그녀들의 어머니 같았더라면 말없이 고개를 까닥거리거나 마지못하여 씁쓸히 미소 지으려 했었을 거였다. 그런데 이 알레고리를 딸들은 전혀 이해하지 못하였다. 솔직하게는 한 치의 여지도 없이 곧이곧대로 받아들이기마저 거부하고 있었다.

사실 주훤은 줄곧 자신의 또 다른 정체성인 강단 비평가의 시각에서 강의 전개를 즐겨 하였다. 그간 매년, 그것이 여의치 못하다면 한 해 걸러서 평균 한 권꼴로 평론집이나 연구서도 펴냈다. 이런 왕성한 활동의 결과 웬만큼은 이름이 알려진 편이었다. 대중들이 아슬아슬하게나마 문학의 힘을 믿고 있던 시절에 주훤의 강의는 신기함 반 유용함 반 인문대를 비롯하여 전교 학생들 사이에서 꽤 인기가 높았었다. 지금도 그 정도까지는 아니겠지만 넉넉한 수강 인원을 고려하여 좌석 여유가 있는 세미나실을 주로 배정받는 상황이었다. 그러나 해가 갈수록 아이들과 교감의 밀도가 옅어져 감을 인식하고 있던 차였다.

현재 주훤은 만으로 65세인 정년을 채 이태도 남겨두고 있지 않은 다소 남사스러운 처지였다. 구질구질 이름뿐인 명예교수 따위는 꿈도 꾸지 않았다. 이미 그에게는 이마저도 이 땅의 무수한 베이비부머 중에서 유독 선생, 그것도 대학교수라서 누려야 하는 일종의 특혜이자 성가신 굴레였다.

*

"아, 이 박사! 아직도 저 대문짝에 번들거리는 아이들 훈장 딱지는 뭐요? 뭐, 그건 그렇고……, 우리도 모르게 내일 아침 일찍부터 학과 교수협의회가 잡혔다는 소식 들었어요? 게다가 상황 진척에 따라서는 당일 늦더라도 아예 임시 교원징계위원회까지 열릴지도 모른다지 뭐요. 이건 순 당사자들 입장은 변변히 들어보지도 않은 채 학교와 재단의 체면만을 살리기 위한 결정을 향해서 일종의 요식 절차를 밟고 있는 형국 아니겠소. 그러니 어떡하든 우리 셋이서 함께 힘과 뜻을 모아 이 난국을 타개해 나가야 할 텐데……. 그나저나 미툰지 미친지 모를 바람 다 지나간 뒤에 혼자서 일을 이렇게까지 키워버린 설 교수는 연락도 두절이고……, 여하튼 젊은 사람이 결기와 요령이라고는 눈을 씻고 찾아볼래도 전무하니 참 답답할 노릇이요."

주훤보다 두 해 먼저, 그러니까 바로 내년 여름으로 퇴임이 임박한 현대문학 분과장 겸 현재 대한민국 시단을 대표하기에 손색이 없는 하 교수였다. 퇴임 후 종신 명예교수 대접을 확신하고 있다는 그가 정말 오랜만에 주훤의 연구실을 찾아야 할 정도로 상황은 다급해져 있는 모양이었다. 아무리 그래도 학과 차원의 대책 회의라면 몰라도 명색이 서울 소재 전통 명문 사학의 징계 절차가 그렇게 허술할 리는 없었다. 《바람 부는 미나리꽝으로 달아난 누이》라는 스테디셀러의 원색적인 감성과는 별개로 안정적인 처세로도 본받을 점이 많은 그는 대학은 물론 중고교까지 주훤과 동문이기도 했다. 그런 하 선배가 한참 아래 연배인 국어음운론 전공의 설 교수에게 이번 사태의 원인과 책임을 상당 부분 전가하고 있질 않은가? 소월과 지용의 정기를 이어받은 순수 낭만파 서정시인이라는 그도 무척이나 당혹해하고 있음이 확연하였다.

주휜은 이런 인사와 이런 문제로 더불어 말을 섞어야 하는 현실이 더 당혹스러웠다. 그와 똑같은 부류의 인간으로 학생들에게, 나아가서 대내외적으로 각인되고 있을 이 상황이 썩 마뜩잖기 짝이 없었다. 주휜은 임용뿐만이 아니라 등단에서도 선배인 이 시인을 마음껏 경멸해도 좋을 도덕적인 우위에 서 있다고 자부해 왔었다. 특히 여자를 대하는 태도에서만큼 이 믿음은 확고하였다. 이 인간은 뭐랄까, 자신의 호색한다운 성향을 예술가적 분방함으로 포장하여 대놓고 과시하기를 꺼리지 않았다. 당연히 요 몇 해, 자타 공인 노벨상 종신 후보자마저도 무너뜨린 문단 미투 바람에 몸을 잔뜩 웅크리고 있기는 했지만 말이다.

실상 시공을 초월하여, 그리고 대상을 불문하고 시인이 벌이는 엽색 행각은 문단 주변과 캠퍼스 안팎에서 이미 그 명성이 드높았다. 흔히 예전에 문학을 사이에 두고 남녀노소 흉허물없이 어울리다 보니 그렇고 그런 관계로까지 번져버린 경우가 아니었다. 비교적 최근까지도 교과서나 문제집에서 접한 몇 줄의 얄팍한 감성에 일순 설레던 가슴을 부여안고 찾아온 문학소녀들의 가슴을 실제로 더 설레게 해주었다? 이런 유의 험악스러운 소문들을 주휜은 익히 들어오던 차였다. 과연 노시인의 주변에는 젊은 여자들이 끊이질 않고 넘쳐났다. 외려 젊고 아름다운 여자들이 있는 곳이라면 어디나 시인이 있었다는 편이 더 공평할까?

“으흠, 계집은 말이야……, 도대체가 변함이 없어. 특히나 선생님! 제가 정말 그런 것도 모르는 바보였단 말예요? 이러며 앙탈을 부리듯이 매달려들 때는 그 에미들이나 그 딸들이나 삼십 년을 넘어 희한하게 한결같은 감성으로 속삭여 은밀한 시심을 온통 뿌리째 들어 올린다니까. 그런 면에서 한창 여성성을 내뿜는 나이 때의 아이들을 상대로 일생토록 강단을 지켜올 수 있었던 나를 이 시대의 행운아라고 부르지 않을 도리가 있겠나?"

언젠가 학과 교수들의 연례적인 회식 뒤에 찾아든 생맥줏집 질펀한 테이블 둘레에서 시인이 천연덕스럽게 지껄이던 말이었다. 거의 그 에미들에 해당할 듯도 싶은 본교 출신의 초임 강사도 동석한 자리였다. 주훤은 비록 엇비슷하게 문학을 전공하는 처지이기는 했으나 소위 예술적 용어를 빙자한 이런 유의 언동에는 극도의 거부감을 지니고 있었다. 실제로도 초지일관 정결한 행동거지를 내려놓지 않으려는 진중함뿐이었다. 그건 술이 들어간 상태든 아니든, 그리고 남들이 알아주든 말든 상관없는 일이었다. 다만, 지금은 그걸 제대로 알아주는 사람이 없어서 약간 곤란한 처지이기는 했다.

주훤은 자신의 결벽성을 문학평론가다운 논리를 동원하여 일종의 친부 살해 콤플렉스가 작동한 것이리라 자평하고 있었다. 세상 그런 난봉꾼은 다시 없을 거라는 생부의 후안무치가 자신에게 이성을 대하는 견결함으로 훈습熏習되었다는 자의식을 지닌 지 제법 오래였다. 물론 지금도 집에서 한창 애면글면하고 있을 구순을 바라보는 맹목과 익애의 노모 때문이기도 하였으리라. 더욱이 여자라고는 당신 한 분밖에 몰랐다던 조부와의 짧아서 더 애틋한 추억을 한평생 곱씹으며 살다 간 할머니마저도 어린 주훤에게 제발 덕분에

늘상 고놈의 뿌리 조심하라고 클클거리곤 하였으니 더욱 그랬을 것이다.

"선생님이 감성적인 시나 상상력의 소설이 아니라 견고한 논리의 평론만을 고집하는 이유를 이제야 알 것 같아요. 그리고 그게 저와 선생님 사이의 스틱스일 거라는 사실을 깨닫게 되었어요. 죽음을 무릅쓰고서 그 물을 건너려는 각오가 없이는 우리의 관계가 여기서 한 걸음도 더 나아갈 수 없으리라는 것도요……. 정말로 죄송해요. 이번에 나온 선생님의 책 제목처럼 저 사품치는 물살을 헤치고 그 너머 카뮈가 말하는 부조리의 사막을 함께 걷기는 어려울 것 같아요. 저도 어쩔 수 없이 말초적인 욕망에 충실한 여자였던 걸까요?"

젊었던 날 주훤이 진정으로 가슴 저리도록 품었던 여자가 떠나간 이유도 따지고 보면 저 콤플렉스 때문이었고, 나아가 격세 유전 탓이었을 것이다. 그 결별이 주훤의 결벽증을 더욱 강박으로 치닫게 했을지도 모를 일이었다. 학문적으로 존경해 마지않던 전후 실존주의 문학비평의 태두마저 반면교사로 삼기에 부족함이 없었으니까. 필생의 스승께서 간혹 재충전 삼아 화류계 여자들 다루듯 희희낙락하던 행태만은 따르지 않기로 굳게 작심해 온 터였다. 사태가 이렇게까지 꼬여버린 마당에 다시 생각해 보니 오히려 그게 괜한 오해를 불러일으켰을 수는 있었다.

*

새삼 그 노고들을 새록새록 되새기자니 주훤은 다소 구차스럽기

마저 했다.

그래도 구체적으로, 혹여 피치 못할 사적인 밤샘 술자리에 제자들이 합석하게 된다면 먼저 자리를 떴다. 평소 점잖은 척하던 동료들이 취기를 핑계 삼아 손을 만지거나 어깨를 도닥이는 꼴을 보기 싫어서였다. 사제동행의 미명 안에서 느슨해질 수 있는 학과 행사 뒤풀이에서는 학생들과 멀찍이 떨어져서 홀로 교수석을 지켰다. 졸업에 치명적인 학점이나 과제 때문에 혼자서만 연구실을 찾아온 당돌한 녀석들을 포근하게 품어주지 않았다. 심지어는 강의 중 유독 한 아이에게만 더 오래 더 자주 눈길이 머물지 않도록 유념하였다. 안면이든 어디든 의심을 살 만한 신체 부위를 더듬거릴 가능성마저 완벽하게 차단해야 안심이었다. 여태껏 미혼의 주훤은 이 모든 행위가 여성을, 혹은 여성으로 소위 대상화하지 않으려는 자신만의 황금률이라고 믿고 있었다.

얼마 전 가연을 한 차례 가볍게 지적한 것도 순전히 그런 차원에서였다.

"진 군! 자네는 그간 수업에 대한 열의도 강한 편이고, 제출하는 과제의 퀄러티도 자신만의 관점이 확실한 게 높이 평가할 만했었네. 앞으로도 이런 식으로 정진한다면 개개의 실제적인 텍스트를 적절한 사회과학적인 툴을 활용하여 분석하고 시대사적인 컨텍스트에 위치시켜 평가하는 단계에까지 도달하리라 기대하고 있었다네. 마침 오늘 발표한 뉴 밀레니엄 한국 소설의 여성화라는? 아, 연성화라는 풍문에 맞서! 이 논쟁적인 주제도 학부생치고는 매우 내용이 알차고 그런대로 독창적인 시각을 갖추고 있음이 드러나고 있군. 왜, 우리 아카데믹 리버럴 아트에 그런 말이 있다질 않나? 궁극적으로는 동 학년생이 동 학년들에게 일정한 수준의 강의를 시연할 수 있어야 성공한 교육이라고……. 아! 한 가지, 그 까다로운 수준을 담보해 내기 위해서는 가열 찬 그 페미니즘적 시각에 걸맞게 코스튬 매너에도 각별히 유념해 주었으면 하는 아주 사소한 아쉬움을 갖게 되는 것도 어쩔 수 없는 사실인 것 같군. 어떻게 이런 내 말뜻, 이해할 수 있겠나?"

"예? 교수님! 아, 예에……."

편애에 가깝게 여겨질 수도 있는 평소 주휜답지 않은 후한 평가에 질시 어린 시선으로 둘을 번갈아 응시하던 강의실의 분위기가 일시에 뜨악해졌다. 동시에 점점 움츠러드는 성량으로 대답을 마무리하지 못하고서는 눈물을 떨구는 최우등생의 일그러진 얼굴이 시야에 아득히 들이찼다. 이게 그냥 저 자리에 선 채로 울 만큼 과한 지적이었나? 그날 가연은 예정된 과제 발표의 편의상인지 계단식 좌석의 맨 앞줄 가운데 통로 쪽으로 앉아 있었다. 그런데 허연 속살이 거의 내비치도록 민망하리만큼 짧은 치마였다. 여느 때 같았더라면 손수건이라도 펼쳐 놓았을 텐데……. 발표 전부터 그게 자꾸 거슬리던 주휜이 눈감아주지 못하고 한마디하고 만 것이었다.

가연 개인만을 생각한다면은 별달리 나쁜 의도가 있어서 그런 말을 한 것이 아니었다. 평소 자네의 명민함을 높이 사고 또 대학원에서 함께 학업을 이어갈 가능성까지 염두에 두고 애정 어린 충고를 한 것이라고 나중에 따로 불러 달래줄 수도 있었다. 그리고 당사자도 그 점을 충분히 수긍하고 얼마간 충격은 받았겠지만, 앞으로의 몸가짐에서 한 번 더 자신을 되돌아보는 쓴 약으로 삼을 수도 있었다. 주훤이 그간 지켜본 바로 가연은 그 정도의 식견은 갖춘 아이였다. 문제는 심드렁하니 발표에 별다른 공감을 보이지도 않던 일부 학생들의 반응이었다. 들릴 듯 말 듯 주로 두 음절의 남성 비하적 지칭들을 사용하여 주훤을 마치 길거리 치한인 양 취급하는 태도는 도저히 견딜 수가 없었다.

"호오! 물론 내가 젠더 센서빌리티에는 둔감한 지적으로 일종의 실언을 한 것일 수도 있어요. 깊이 생각하고 널리 헤아리지 못한 것은 나의 불찰입니다. 결단코 부정하지는 않겠습니다. 그러나 나를 뭇 여성들을 상대로 희롱이나 추행을 일삼는 시정잡배쯤으로 여기는 일각의 시각에는 실망을 금하지 않을 도리가 없겠군요. 이 상황에서는……, 이미 공허한 대비 같겠지만, 겨드랑이가 훤히 드러나는 민소매 티셔츠를 입은 남학생이었더라도 나는 같은 말을 했을 것입니다. 여러분과 나 사이에 이 시공간만큼은 남녀의 구별이 존재하지 않습니다. 오로지 가르치고 배우는 관계만이 있을 따름입니다. 그런 의미에서 나는 우리 과의 여교수님과 다를 바가 없는 존재여야 하고, 더 나아가서 여러분의 아버님과도 대등한 존재여야 합니다. 그럼에도 자신들의 자존에 그렇게나 안타까우리만치 자신이 없고, 아울러 그렇게나 애타게 그 원인을 전가할 대상을 찾고 있는 것입니까? 그렇다면 원하시는 대로 기꺼이 속죄양이 되어 드릴 용의가 있습니다. 그러나 유감스럽게도 제가 오늘 여러분을 감내할 수 있는 지점은 여기까지입니다."

말을 마치기가 무섭게 서둘러 강의실을 벗어나려는 주훤의 눈에는 자신도 그 연원을 모를 핏줄기가 서려 있었을 것이다. 그 붉어진 눈을 날카롭게 찔러댈 듯, 흐느끼며 주훤을 앞서 계단을 뛰어오르는 가연의 와인 빛깔 레더 스커트가 줌인 중이었다. 주훤은 엉뚱하게도 저 안쓰럽기만 아이와 뜻밖의 대담한 패션 감각이 묘하게 잘 어울린다는 생각이 들기도 하였다. 꼭 그래서만은 아니었겠으되 다음 시간에는 학생들의 반응에 개의치 않고 짧은 사과의 말로부터 수업을 이어가야겠다고 마음을 다스릴 수가 있었다.

그런데 그 쉽지 않았을 사과가 뜻밖에도 불미스러운 일 하나로 인해 미수에 그치고 만 것이었다.

*

고등학생 딸까지 뒀다는 여대 교수가 자신이 지도하는 대학원생과 일 년 가까이 위력인지 위계인지에 의해 부적절한 관계를 끌어오다가 결국 내쳐버렸다!

일견 어수룩하던 시절에 대학가를 풍미하던 가십성 루머였다. 이른바 피해자의 지인을 자처하는 사람이 이른 새벽에 잠시 올렸다가 급하게 내려버린 사연인지라 다소 개연성이 어설퍼 보인 점마저도 그랬다. 항용 이 땅에서 그러했듯이 곧이어 불면과 불민不愍의 누군가가 캡처본을 퍼뜨렸고, 또 정의롭고 정치精緻한 누군가는 학과와 교수를 특정하기에 이르렀다. 이제는 그 허술함이 과민함으로 돌변할 차례였다. 개인 SNS, 블로그, 카페, 커뮤니티, 학과 대나무숲, 대학 자유발언대……. 순서와 단계야 어떻든지 간에 불과 며칠 사이에 일파만파 번져버린 불길은 몇몇 인터넷 매체와 종편에서마저 그

열기를 외면하기 어려울 지경이었다.

"아니 그 뻔한 옥석구분을 몰라도 유분수지! 이건 굴비 새끼 엮이듯이 셋이 쪼르르 걸려들고 말았으니 기가 찰 노릇이요. 내 일찍이 애송시 가운데 하나에서 한 두름의 굴비가 우애롭게 묶여 있다가 영혼이 허기진 사람들을 위한 성찬 거리로 기꺼이 제 살을 발라나가는 고결한 희생정신을 상찬한 적이 있기는 하지만, 다 늦게 현실에서 그와 정반대의 일을 당하게 되니 여하튼 문학이고 인생이고 도무지 알 수 없는 아이러니는 아이러니요. 가부간에 제일 실하고 도톰한 메뉴 하나면 철없이 날뛰는 저 녀석들의 주린 배를 넉넉히 채울 수 있을 것도 같긴 한데, 지금 그놈의 한 마리가……."

여기까지 와서 팔자에도 없던 분수를 따지느라고 흔히 요즘 아이들 모양 구분俱焚을 구분區分으로 착각할 지경인가? 함께 불살라지든 따로 나뉘든 천생 서정시인은 문학과 인생 최대의 고비에서 영국 낭만파 아무개의 그럴싸한 말대로 강렬한 감정의 자발적인 범람을 주체할 길 없어졌는지도 몰랐다. 난데없는 굴비 숙명론을 펼쳐가며 가장 탐스러운 희생 하나만을 불길로 내던지려는 의도를 드러내고 있질 않은가? 그것은 이 혼란스러운 제의에서 자신의 비린 손을 어떻게든 감추어 보겠다는 대제사장으로서의 노회한 처신에 불과했다.

대자보 정중앙의 '혼인빙자 성폭행', 그 약간 아래로 '노골적인 성희롱 및 상습적인 성추행 의혹', 그리고 말단에 '고질화한 성차별적 발언'!

참으로 다채로운 타이틀로 정죄定罪되고 있는 상황이었다. 그런데도 시인은 학생들이 붙여준 혐의가 가장 긴 만큼 자신이야말로 가장 애매하다고 믿으려는 눈치였다. 아마도 '노골적인'이나 '상습적인'과 '의혹'이 빚어내는 불협화음마저도……. 어쩌면 산정하기가 더 모호한 이른바 공소시효를 염두에 두고 있는지도 몰랐다. 아니, 공공연히 주훤과의 동지애를 표방하고 있는 것으로 봐선 단연 설 교수야말로 가장 확실한 먹잇감이라고 판단하고 있음이 틀림없었다. 물론 나머지 둘의 몫까지 대신하여 아귀들에게 내던져질 그 번제물에 대한 진솔한 연민의 감정도 숨기지는 않았다.

"사실 가만 들여다보면 우리 설 교수도 조금은 안됐다는 심정이 없지는 않아요. 그간 시시콜콜 내색은 안 했어도 가정이 풍비박산 나다시피 해서 몇 년째 별거 중인 부인과도 곧 법적으로 갈라서게 될 거라는 소문이 학부생들 사이에서까지 파다했었다는 것 아니요? 그 물러터진 틈을 서른도 넘은 엉뚱한 석사 과정 하나가 어떤 의미에서 보면 헤집고 파고든 것이라고 볼 수 있는 측면도 없진 않으니깐……."

며칠째 자취를 감춰버린 설 교수와는 같은 학과이긴 해도 어학과 문학으로 엄밀히 전공도 별개이고 출신 대학도 다른데다가 이십 년 가까운 나이 차가 있었다. 까닭에 공적으로든 사적으로든 그저 데면데면하게 십 년 세월을 지내온 사이일 뿐이었다. 주훤은 이번 사태로 설 교수를 비로소 대자적 존재로 바라보게 되었다. 그래서 오히려 더 즉자처럼 여겨지기도 하는 건가? 그 성격이야 어떻든지 간에 정말로 첫 인식이었다. 그러나 본교 출신도 아닌 문제의 대학원생은 도무지 알 길이 없었다. 이번에도 남녀 관계를 향한 왕성한 탐구심이 사그라들 줄 모르는 원로시인이 원치도 않는 도움을 베풀어 주었다.

"시골에서 학부를 마치고 혼자 서울엘 올라와서 여기저기 잡지사다, 출판사다 직장생활을 하다가 무슨 바람이 났는지 공부를 더 해보겠다고 뒤늦게 대학원엘 들어온 여자라는데……, 아마 여러 가지로 외톨이 신세이다 보니까 헛헛함을 많이 느껴서 그랬는지 자기와 비슷한 분위기의 설 교수를 무척이나 따른 모양입디다. 워낙 여자 쪽에서 강하게 매달리니까 설 교수도 한동안은 미적거린 구석이 없지는 않았던 것도 같고……. 암만해도 안 되겠다 싶었는지 이제는 그만 끝내자, 이건 명색이 선생과 학생 사이에서 끝까지 갈 수 있는 일이 아니다, 내가 이혼을 하고 안 하고와는 전혀 별개의 문제다, 뭐 이런 식으로 제 깐에는 구슬리듯이 정리를 한 모양인데……, 결과적으로는 정리가 안 된 셈이지요."

사실 이런 뻔한 스캔들이라면 주훤이 전문이어야 할 텐데 어쩐 일인지 몹시도 생경하였다. 한평생 밥벌이 감으로 손에 거머쥐고 있는 비둔하거나 가냘프거나 가릴 것 없는 픽션들에 흔하디흔하게 등장하는 스토리 아니었던가? '견인堅忍의 의지와 고아高雅한 이성으로도 제어되지 않는 인간 운명의 페이소스적 총체성總體性'이니 '저 멀리서 드높이 반짝이는, 선지先知 루카치의 별만을 바라보고 걷기에는 너무도 진창으로 절벅거리는 현대판 《텬로력뎡天路歷程》'이니 하는 이골난 어구들로 사족이나 덧붙여 대던 바로 그것이었다. 하지만 그것들은 살아서 마구 날뛰는 실제가 아닌 한낱 허상 속의 박제품일 따름이었나. 상상과 허구로만 먹고 살아온 탓인지 주휜은 융숭 깊은 서정시인의 현실 감각을 도저히 따라잡을 수 없었다.

“본디 계집은 그렇게 다루는 게 아닌데……. 단물이 잔뜩 오를 대로 오른 뽀얀 무를 칼로 뭉텅 썰어내듯이 한다고 떨어져 나가는 게 아니란 말이오. 안팎으로 뒤엉킨 사내 계집이 무슨 매듭 모양으로 풀고 끊는 것이 손쉬울 성싶소? 뜨거워진 몸과 마음이 시키는 대로 굴러가다 보면 자연 식는 때도 찾아오는 법! 진득하니 기다리기 정 뭣하다면 조금 빨리 식어가도록 헛풀무질이나 적당히 보태면 언젠가는 제풀에 나가떨어질 텐데……. 지글지글 들끓어 본 경험이 없어서 그런지 아니면 우리 이 비평가처럼 타고난 성품이 결곡하기만 해서 그런지 그 위인이 영 요령부득이라서 그만…….”

*

주휜은 천천히 눈앞으로 들어 올린 오른손 끝이 파르르 떨려옴을 아스라이 바라다보았다. 아침 일찍 공복에 한 움큼씩이나 털어 넣었던 알약들의 효력이 이미 다했음인가, 아니면 과했음인가. 급한 대로 책상 서랍을 열고 빽빽한 잡동사니들 틈바구니에서 다크 초콜릿을 찾아 미처 녹일 새도 없이 덩어리째 목구멍 깊숙이 밀어 넣었다. 그래도 감도는 씁쓸한 뒷맛을 달래기 위해서는 모조 크리스털 병에서 둥근 사탕 알을 끄집어 물고 한동안 그렇게 앉아 있어야 했다. 무엇보다 더블샷으로 내린 진한 네스프레소 한 잔만이, 아니 한 모금이라도 간절하다는 바람이 마구 휘몰아치고 있었다. 정확히 누구를 겨냥했는지도, 그리고 칭찬인지 비난인지도 모를 인물평을 남기고 떠나간 요령 좋은 시인 탓만은 아닐 것이다.

급수 탱크의 묵은 물을 갈고 새로 배송된 상자를 뜯어 아르페지오 캡슐부터 얹어야겠다! 불현듯 주휜은 자신의 하중이 한쪽으로 지나치게 기울어지고 있음을 감지하였다. 그래, 이대로 조금만 기를 쓰면 인간으로서의 물리적 한계를 극복 못 할 것도 없지! 높이뛰기 선수가 이른바 포스베리 플롭을 시도하듯 뒤로 젖혀진 주휜의 몸은 능란하게 가상의 장애물을 타고 넘어선 연후에 부드럽게 착지할 터였다. 그런데 떨어져 내리는 과정이 도무지 끝이 없었다. 차라리 두개골부터 단단한 포도 위로 어서 빨리 곤두박질쳐지기를 바랄 만큼이었다. 꿈이었던가? 주휜은 오른쪽 엄지와 검지를 가볍게 마주 비벼 보았다. 꿈이 아니었던가? 살아 있음을, 아니 아직은 살아야 함을 역설하듯 딱딱하고 둥글둥글한 이물감이 생생했다. 이건 분명 오래전 그녀가 내 손에 쥐어준 그 외제 만년필일 텐데…….

"어머, 교수님! 괜찮으세요? 문은 잠겨 있지 않은 것 같은데 노크를 여러 번 해도 안에서 대답이 없으셔서요. 그런데 안색이 많이 안 좋아 보이셔요. 우선 이거라도 드려 볼까요? 너무 뜨거워서 제가 입을 조금……."

그건 진정 꿈이었기도, 또한 꿈이 아니기도 하였다. 예전 만년필 주인 대신 오늘은 빨간 미니스커트 말고 온통 검은 빛의 재킷과 롱팬츠를 갖춰 입은 가연이었다. 그래서인지 더 도드라지는 새하얀 테이크아웃 종이컵을 내밀며 주휜 앞에 서 있었다. 의자에 눕히다시피 했던 상체를 곧추세우며 주휜은 뜻밖의 프랜차이즈 아메리카노를 먼저 맞이해야 하였다. 영락없이 선부른 문상객을 연상케 하는, 하지만 뜨거우리만치 반가운 무상공여자의 저 복장이 싱싱하고 파릇파릇한 이 아이에게서 정녕 내가 바라던 전부였을까?

“으응, 그래! 나는 괜찮아. 마침 진한 커피 한 모금이 간절하던 참이었는데 반갑군. 하지만 이걸 내가 마셔도 괜찮을까? 뭐, 일단은 고맙게 받도록 하지. 그런데 자네야말로 정말 괜찮겠나? 이 상황에 무슨 생각으로 내 방엘 다 찾아온 건가? 아, 이런 거기 좀 앉게. 경황이 없다 보니 내가 손님 대접도 변변히 못 하고 있군그래.”

“아닙니다. 교수님께 제가 무슨 손님인가요? 그저 철없는 학생일 뿐인걸요. 그날도 괜한 반발심에 그렇게 입고 나왔다가 교수님이 딴 때와 다르게 안 좋은 표정으로 자꾸만 쳐다보셔서 한 소리 들을 것 같다는 걱정을 하기는 했었어요. 마음속으로는 다 알고 있으니까 제발 오늘은 그냥 넘어가 주시면 안 되나요? 이렇게 말예요. 워낙 교수님께서는 제 아빠 같으시니까요…….”

주훤은 잠시 가연의 말뜻을 헤아리지 못하고 오랜 상념을 맴돌이하고 있었다. 이 아이는 그동안 나를 아버지처럼은 생각하고 있었다는 얘기인가? 그러기가 쉽지 않았을 건데……. 그간 전혀 자애로운 부성을 내보일 수 없었던 자신의 모난 언사를 주훤은 잘 알고 있었다. 평생 독신으로 지내왔으면서도 어쩔 수 없는 세월의 더께 때문인지 젊은 딸들에게 잔소리나 늘어놓는 하릴없는 꼰대? 선택형 문항처럼 콕 찍어서 구할 수 없는 복잡다기한 답안은 출제자의 상세한 해설지 속에 담겨 있었다.

“잡수신 마음은 그렇지 않으신데 저희를 향해 드러낼 때는 너무 진지하고 근엄하신 것 말예요. 아마 교수님은 자신에게도 그렇게 엄격하실 것 같아요. 지나치게 가혹하리만치요. 그래서 학문적으로 이룩하신 성과도 대단하시고……. 어린 저는 잘 모르겠지만 과거 권위주의 시대 같은 때에는 부당한 압력에도 굴하지 않고 그 펜으로, 그리고 온몸으로 싸우기도 하셨겠지요. 어떻게 보면 저희 아빠도 조금은 그러신 편이거든요. 그렇게 교수님 연세까지는 아니지만, 늦둥이 막내인 저를 한없이 사랑하고 아끼는 마음을 이상하게 간섭이나 구속으로 느껴지게 표현하세요. 사소한 예로, 오늘도 많이 늦을 거라면서 험한 밤길에 그 치마는 정숙한 여학생치고는 상식적으로 좀 부족한 거 아니냐? 이런 식으로다요. 그래서 그날도 불쑥 반발하는 마음이 일어 제가 발표라는 것도 생각하지 못하고서는 제일 짧은 걸로 갈아입은 채로 수업까지 들어갔던 거예요. 마침 교수님께서 그걸 지적하시니까 갑자기 아빠가 불쌍하다는 생각이 들어서 눈물이 왈칵 쏟아지고 말았던 거고요. 결과적으로 아빠의 그런 면들 때문인지 일찌감치 엄마가 우리 곁을 떠나가게도…….”

차분하면서 당차 보이는 가연에게 이런 개인적인 히스토리가 있을 거라고는 그려보지 못했었다. 그러면서도, 그래서 눈길이 더 가는 아이였을 수 있다는 사실마저 부정할 수는 없었다. 주훤은 어려서부터 왠지 청승맞은 구석이 있는 여자들이 편했다. 아마도 자기 할머니나 어머니 같은? 혹은, 자기 할머니나 어머니 때문에라도? 그러나 그것은 그녀들을 하나의 대등한 인격체로 대우하려는 마음은 아닌 것 같았다. 편한 건 편한 것일 뿐, 그렇다고 해서 이성으로서의 매력 따위를 느낀 적이 없었으니까. 그건 그냥 비련의 여주인공들을 대하는 우월적 연민에 지나지 않았다. 인제는 가연에게마저 그런 시각은 위태로웠다. 현 상황에서 이 아이는 옛날 여자도 아닐뿐더러 일 개인은 더더욱 아니질 않은가?

"아빠가 그러셨어요. 다 너희들 걱정해서 그런 듣기에 거북한 말도 하는 거라고요. 내 핏줄이라서, 내 딸이라서 그러는 마음을 왜 헤아려 주지 못하느냐고……. 그렇지만 인제 저희들 생각은 절대 그럴 수 없게 되어 있습니다. 그럴 때마다 겨우 남자들의 보호나 배려를 갈망하는 존재쯤으로 바라보고 있다는 착잡한 심정에 빠지게 되거든요. 그리고 당신들께서 평생 그렇게 살아오셔서, 마음과는 달리 표현이 서툴러서 그렇다는 뻔한 변명 정말 많이 들었습니다. 그래 알았다. 내 깜냥껏 노력은 해보마! 라는 마지못한 다짐들보다 그 몇 배나요."

*

분명 그러하기는 한데……, 그게 종주국 대표 이론가의 <비날이는 品川驛시나가와역>에서 떠나보낸 조선 여자였나? 아니면 유학생 시인 임화가 <雨傘우산받은 「요꼬하마」의 埠頭부두>에서 이별한 일본 계집애였나? 정확한 정황이야 어떻든지 간에 주훤은 빗속의 그 여성 캐릭터가 눈앞의 가연과 자꾸 겹쳐 다가온다는 느낌을 떨치기가 어려웠다. 한창 식민지 시절의 계급 문학 공부에 열을 올릴 때 시대적인 분위기와는 상관없이 애상적으로, 낭만적으로 받아들이게 된 프롤레타리아 여성이었다. 순전히 남성 중심의 시각에서만 그녀들은 애처로웠고 사랑스러웠다. 주훤에게 느닷없이 그 생각이 떠올랐다는 것은 자신의 역사적 시효가 이제는 다했음을 의미했다.

그랬다. 가연은 개인적인 사과나 해명을 시도한다기보다는 주훤이 어렴풋하게 인식하고 있거나 아니면 애써 외면했던 사실을 당당히 헤집어 내고 있었다. 지금 가연은 발언 속의 자신을 단수에서 복수로, 그 내용을 가족사에서 집단적인 의식으로 전환하고 있질 않은가. 이 점을 놓치지 않으면서도 주훤은 앞으로도 좋은 글 많이 쓰시라며 제 워터맨 만년필을 남겨두고 떠나간 어떤 여자가 자꾸만 떠올라 몹시 힘겨웠다. 그간 가연에게서 무의식적으로나마 그녀의 잔상마저 보아왔던 것은 아니었을까? 이제는 속이 다 메말라 버린 워터맨을 버리지 못하고 있는 것만큼이나 얼토당토않은 짓이었다. 가연이 혼자서 자신의 연구실을 찾아온 까닭은 그런 차원과는 한참이나 거리가 먼 것임을 그는 시인하여야 했다.

"저희는 모든 아버지들이 심각한 의미에서의 극복 대상이라고 생각하지는 않습니다. 자세히 파고들면 저희들도 그렇게 단순하고 획일적인 세대는 아니니까요. 굳이 이번 건이 아니더라도 교수님 세대 안에서도 마찬가지시겠지요? 그래서 말인데요, 교수님! 이 상황이 무척 답답하고 억울하기까지 하시잖아요? 사실 교수님의 경우에는……, 저희들끼리도 다소 혼란스럽기는 했습니다. 가르침을 받는 처지에서 듣기 불편한 직설적인 표현과 젊은 여성에 대한 이해 부족을 드러내는 말씀만을 가지고서 더불어 공론화하기에는 불충분하다는 지적들이 많았었죠. 사태의 당사자인 저를 포함한 여러 논의 끝에 충격적이고 자극적인 다른 두 분의 사례보다는 오히려 교수님과 같은 인식이 더 일상적이고 그래서 더 강력한 폭력성을 내재하고 있다는 결론에 도달하게 된 겁니다. 하지만 저 자신, 교수님께 개인적으로는 참 송구하다고 생각하고 있습니다."

"자네 혼자서 미안해할 것은 없어! 맺음과 얽힘 속에 살아가야 하는 우리 인간에게는 어쩔 수 없는 상황이란 게 있다는 걸 내가 왜 모르겠나? 견결한 의식으로 무장해서 버텨온다고 자임하던 나 자신이 그 흔한 성인지 감수성이 턱없이 부족한 사람이라는 얘기나 이렇게 듣게 될 줄 어디 상상이나 했겠나? 그건 아마도 편안함과 게으름 때문이었을 거야. 굳이 그렇게까지 하지 않아도 별 불편함이 없는 어른이라는, 그리고 남자라는 알량한 기득권이 우리에게는 있었던 거겠지. 그리고 빠르게 변해 가는 자네들을 이해해 보려는 노력이 충분했다고는 고집하지 못할 거야. 비겁한 변명으로나 들리겠지만 몇십 년씩 굳어져 온 생각이나 태도를 바꾼다는 것이 우리 나이에는 그렇게 쉽질 않더군. 아니 솔직하게는 겁을 먹었다고 하는 게 올바를 테지. 그걸 자네들이 흔히 쓰는 말로 꼰대라고 해도 어쩔 수 없겠지만……."

가연이 줄곧 '저희'를 내세우고 있다면 주휜에게는 잠시라도 숨어들 '우리'가 마련되어 있긴 했다. 그러나 주휜은 겨우 그쯤에서 멈출 생각은 아니었다. 당장 이 자리에서 가연에게 진심으로 사과부터 할 작정이었다. 이 경우 그 흔한 진의와 곡해 따위는 필요치 않았다. 고리타분한 말이지만 정직이 최선의 정책이라지 않은가. 그런 다음에는? 어차피 불가능한 강의는 포기하고 아이들의 집회로 함께 내려갈 용의도 없지 않았다. 그러기에 앞서 모처럼 한평생의 허망한 농성을 풀어 어색한 화해의 악수를 청하며 다정하게 어깨라도 두들겨 주면 어떨까? 그래 주길 바라고서 가연이 조용히 혼자서만 나를 찾아온 건 아닐까? 아버지든 그 무엇이든 나이나 성별은 개의치 않을 것이다. 그런데 설마 이마저도……? 하는 행복한 고민은 다행히 하지 않아도 되었다. 아니 불운하게도 그럴 기회를 모두 놓쳐버리고 말았다.

"아아, 교수님! 이를 어쩌지요? 설 교수님께서 돌아가셨나 봐요. 혼자서 거처하시던 학교 근처 오피스텔에서 심정지 상태로 오늘 새벽에 발견됐다는 인터넷 뉴스 링크가 지금 막 단톡방에 떴습니다. 우리 대책위원회 차원의 긴급 공지도요……. 아무래도 저는 그만 내려가 봐야 할 거 같아요. 어쨌든 교수님, 정말로 정말로 죄송합니다!"

*

그런 사적인 비보가 어느새 카톡에까지 공공연하게? 애당초 퍼져나간 순서를 거슬러, 그리고 어느 단계인가는 건너뛴 채 걷잡을 수 없이 거둬들여지고 있을 전근대적 차원의 멜로드라마에 화들짝 놀라기는 주훤도 마찬가지였다. 아, 이 친구! 그렇다고 어차피 종신토록 부유하다가 마는 세상살이를 서둘러 버릴 것까지야……. 자신도 방금 이른바 극단적 선택까지는 아니었더라도 그와 비슷한 환각에서 빠져나오지 못했던 사실을 상기하면 한층 무연한 심정이었다. 본의 아니게 시대에 뒤처진 자가 걸어가야 할 저 멀리 외계 행성 같은 풍경이 그려지고 있었다. 그 불모의 땅을 우리의 할아버지들이, 내 아버지들이 먼저 걸어야 했을 테고, 그리고 지금 주훤에 앞서 조금 서둘러 누군가가 막 따라나선 셈이었다.

가연의 연분홍 입술 자국이 뭉개져 나간 종이컵은 여전히 손에 들려 있었다. 혼미스러운 머릿속과는 별개로 이 따끈한 커피 몇 모금으로 원기가 돌아온 듯 주훤은 천천히 원색으로 물들인 창밖을 바라보았다. 무언이든 더는 이대로 안 되겠다 싶어 벌떡 일어나 가장 가까이에서 노랗게 시들어 가는 은행잎 하나하나를 주시했다. 시선을 낮춰 중정을 내려다보니 분주하게 스피커니 피켓이니 하는 시위용 비품들을 치우고 있는 학생들의 몸짓이 아른거렸다. 설 교수가 같은 어른으로서 저 아이들에게 또 다른 꼰대 짓을 저지른 것이나 아닌가 하는 불편한 생각에는 결연히 고개를 가로저어야 마땅하리라.

"아니, 이 박사! 아직도 뉴스 못 봤어요? 뭐, 내막이야 어떻든지 참 안된 일이요. 사람이 어리숙하다고 마냥 우유부단하게 봤더니만 스스로 결자해지하는 마지막 강단은 어딘가에 비장해 두고 있었던 모양이요. 그런데 발견 직전에 통화하는 상태가 의심스럽다고 신고 전화를 한 앳된 목소리가 따로 있었다는 후문도 돌고 있으니……. 여하튼 안타까운 마음 같아서는 아무리 철부지 아이들이지만 일일이 잘잘못을 대신 따져 묻고도 싶소마는……, 괜히 일을 더 시끄럽게 만드는 것이 고인에 대한 예의가 아닌 것도 같으고……. 현철하신 우리 이 비평 생각은 어떠시오? 좌우지간 향후 행동은 호오를 떠나 서로 보조는 맞추는 게 마땅할 터이니까……."

이번에도 손윗사람인 자신을 번거롭게 찾아오도록 했느냐는 서운함을 앞세워 애도의 뜻을 잠시 표했을 뿐이다. 무엇보다 그럭저럭 거센 불길은 피하게 되었다는 속마음을 감추지 못하고 있는 낭만 시인이었다. 애써 창밖을 내다보며 시인을 등지고 서 있는 주현은 도무지 갈피를 잡을 수가 없었다. 다시 떨리기 시작한 손아귀에서 순식간에 식어 내리고 있는 가연의 테이크아웃처럼 모든 게 성가시고 거추장스럽기만 했다.

때마침 까마귀 한 마리가 무엇에 놀랐는지 갑자기 가을 하늘로 솟구쳐 올랐다. 주현에게 그것은 비상이 아니라 차라리 추락이었다. 동시에 샛노란 부채꼴 잎 몇 장이 그간 교정을 지켜온 오랜 텃새를 달래듯 지상 어느 곳인가를 겨냥해 서서히 맴돌기 시작했다. 그곳 인문대 중정에는 어느 매체인가와 막 인터뷰를 끝마친 듯 가연만이 홀로 남아 깊은 심호흡 삼아 위를 올려다보고 있었다. 자신이 평생 붙잡을 수 없었던 허상의 가연들을 대표하여 그러고 있을 거라는 짐작은 주현만의 심증이었다.

다만 시험에 들게 하옵시고

“정……, 그러시다면……, 이 사람이……, 기어이……, 사죄를……, 하도록……, 할……”

작렬하는 기자들의 질문 폭격에 전임 계오방의 수세적인 답변은 오디오가 사뭇 뭉그러졌다. 그래도 바싹 당겨쓴 마스크로도 가리지 못해 잔뜩 일그러진 비주얼만큼은 아니었다. 시청 로비를 즉석 회견 장소로 택한 것이 잘못이었다. 사실 택하고 자시고 할 경황도 없었다. 시장실로 직행하려다가 뜻밖에도 진을 치고 있는 지역 언론과 지방 주재 기자들에게 꼼짝없이 갇혀버렸기 때문이었다. 현 시장에게도 알리지 않은 자신의 전격적인 방문이 사전에 새어나간 것이 확실했다. 그것은 남아 있는 몇몇 측근들마저도 믿을 수 없게 되어버렸다는 의미였다.

“그러면 그런 다음에나 이번 사건의 실질적인 몸통임을 비로소 인정하시겠다는 겁니까?”

앳되고 중성적인 인상의 여기자는 유독 톤이 높았다. 분명 처음 보는 얼굴인데도 왠지 초면은 아닌 듯싶었다. 아! 너는 바로 심 주필의……? 이 도시에서 반세기 넘게 공공기관 정기구독 1위를 고수하고 있는 지역 신문 청해매일의 실력자 딸임이 틀림없었다. 이번에 같은 계열의 민방에 계약직으로 특채가 될 애가 있다고 들었던 기억이 났다. 예전 심 기자 같았더라면 안 그랬을 텐데, 부전자전은 있어도 부전여전은 없다는 건가? 혹시, 심 주필마저도 이번만큼은 틀렸다고 완전히 등을 돌린 건 아니겠지? 이런 상념마저도 한가롭게 여겨질 정도로 계오방은 갑자기 마음이 조급해졌다. 우선은 물러나 방어선을 재정비할 시간이 필요한 것이다.

"오늘은 지금 여기 장소도 좀 그렇고……, 여러 가지로 급작스러운 점도 있고 하니……, 에에! 제가 나중에 따로 적절한 기회를 봐서……, 상세하게 말씀드리도록 하겠습니다. 자, 그만 가지!"

눈치 없이 시장실 직통 내빈용 엘리베이터로 향하려는 일행의 발걸음을 되돌려 이끌고 나오며 그제야 훑어본 시청 건물 내부는 뭔가 낯설고 어색했다. 자신이 지금으로부터 겨우 반년도 안 된 시점까지 내 집 드나들듯 했던, 아니 집보다 더 많이 머물렀던 공간이 아니었던가. 그것도 꼬박 십 년 하고도 이태를 꽉 채운 내리 삼선 동안이나.

새롭게, 중단없이 앞만 보고!

막상 암갈색의 대리석 벽면에 짙은 금박으로 새겨 놓은 신임 시장의 시정 모토를 보니 믿었던 것과는, 어쩌면 기대했던 바와는 다르다는 판단이 새삼 들었다. '중단없이 새롭게'도 아니었지만, 둘 사이를 쉼표 하나가 가로막고 있을 줄은 몰랐었던 것이다. 올봄 선거판을 뜨겁게 달구었던 구호, '개혁적 계승!'이든 '계승적 개혁!'이든이 강조하던 바가 자신의 이해와는 완전히 반대였던 모양이었다.

정말로……, 이 사람이? 아무리 여의도 밥만 먹어 왔더라도 한 집안 식구끼리? 그것도 까마득한 아우 주제에! 설마하니……, 그래서 그간 일부러 나를 피한 건가?

삼선 연임 제한에 걸려 더 이상 출마를 할 수 없는 자신을 대신해서 중앙당의 전략공천으로 내려온 고위급 당료 출신의 낙하산 후보를 그는 물심양면으로 밀었었다. 지역적 연고라고는 졸업도 하지 않은 중학 동문이라는 가느다란 끈 하나밖에 없는 정치적 후배의 당선! 그것이야말로 계오방이 간절히 바라 마지않는 바이기도 하였다. 이 친구가 사 년 뒤에 더 큰 꿈을 품고 서울로 올라가면 당연히 그 자리는 재차 내리 삼선까지는 아니더라도 다시 자신의 손아귀로 돌아올 공산이 컸다. 신도 모를 정치판이라지만, 전임 계오방은 자신의 꿈이 소박하기 그지없는 것이라고 자부하였다.

그런데 정말 알 수 없게 되어버린 것이었다. 일을 굳이 이렇게까지 키우고 있는 신임 시장의 자세한 속내를 도대체가 알 수 없었다. 자신의 앞날은 더더욱 알 수가 없어졌다. 방금 의구심 속에 청사를 들어설 때보다 더한 상황이 되어버린 것이다. 그는 빈손으로 좁은 회전문에 갇힌 채 떠밀려 나올 수밖에 없는 처지의 한낱 전임 시장일 뿐이었다. 그런 그를 향하여 절도 있게 거수경례를 잊지 않고 붙여주는 나이 든 청원 경찰이 오늘만큼 고마웠던 적이 없었다.

*

"제가 바로 옆에서 떨리는 숨소리까지도 직접 들었으니까요?"

"그래서……, 사죄가 아니라 시죄가 확실하다?"

우리 애가 고지식한 면은 있지만 나를 닮아서 기자 정신 하나만큼은 투철할 거라는 동업 선배 심 주필의 농담이 괜한 소리가 아니었나? 고지식인지 투철인지, 아니면 둘 다인지, 심지어 둘 다가 아니라 또 다른 무언가가 있는지 CHB 청해방송의 보도국 취재편집팀장은 종잡을 수 없었다. 기사 작성의 필수 요건이라는 이른바 팩트 체크를 거듭해 보아도 마찬가지였다. 사실 현시점에서 가능한 팩트 체크라는 것도 원본 영상을 돌려보는 것 말고는 별 뾰족한 수가 없었다. 눈을 감은 채 반복해서 이어폰으로, 하다못해 소리를 죽이고 입 모양만으로 확인해 보아도 도무지 사죄인지 시죄인지 구별이 되질 않았다.

"그러니까 정황상 제가 그런 다음에나……, 다시 말해서, 시죄를 거친 다음에나 시인할 거냐고 몰아붙인 거 아니겠습니까?"

취재편집팀장은 심 기자 애가 젊은 애치고는 주도면밀한 면이 없지 않다는 쪽으로 잠시 생각이 기울어졌다.

"그리고 계 시장이 나중에 따로 적절한 기회를 봐서 얘기하겠다는 게 그와 같은 맥락이라는 거고?"

"만약에 사죄를 할 거라면 번거롭게 따로 시간과 장소를 잡을 필요도 없이 그때 그 자리에서 재차 사과하는 제스처만 취했어도 되는 아주 심플한 문제거든요."

이번에는 아직 어린애라 상황을 분석하는 시각이 기자답지 않게 설익었다에 한 표!

팀장은 보도국을 통틀어 가장 막둥이를 물끄러미 올려다보며 이 편협한 시야를 다소나마 넓혀주어야 할 책임 의식을 절감하였다.

손바닥만 한 지역 사회에서 닳을 대로야 닳고 만 자신의 연륜 따위는 내세울 계제가 아니었다.

"어이, 심묵화! 문제는 우리 회사만……, 아니 너만 그렇게 들었다는 데에 있어. 다른 방송이고 신문이고, 그리고 지방이고 중앙이고 간에 시죄라는 생소한 용어로 캡처한 데가 하나도 없다는 거야! 잘하면 우리 뉴스만 특종이겠지만, 너만 오보일 위험성도 그만큼 크다는 뜻이라구. 어떻게, 내 말 알아듣겠어?"

"그러면 당사자인 계오방 시장에게 지금이라도 연락을 취해 볼까요? 제가 들은 대로 시죄가 확실한지요?"

"그렇다고 인제 와서 굳이 그럴 것까지는 없을 테고……, 가만 기다려 보자구! 조만간 무슨 반응이 나오겠지? 우리 고명하신 심묵화 기자님의 리포트를 놓치지만 않았다면은……."

팀장은 자신의 초년병 시절처럼 집요하면서도 고집스러운 데가 있는 아이라고 잠정적이나마 결론을 내려야 했다. 그리고 진지한 표정에 가려진 의아함으로 꾸벅! 제자리를 찾아 돌아가는 단발머리 후배의 가녀린 등 뒤에다 대고 무심코, 그런데 너 교회도 다녀? 물으려다가 말았다. 언젠가 아직 초등학생이던 고명딸의 손을 잡고 서 있는 심 선배와 맞닥뜨렸던 기억이 떠올랐기 때문이었다. 이 도시 최대, 최고의 청해은혜교회 성 비위 및 회계 부정 의혹 취재 차였었나? 사실은 그보다도 아까부터 띄워놓았던 검색 관련 페이지 하나를 서둘러 마저 읽어야 하였기 때문이었다.

목욕하는 수산나!

웹상의 그림들은 한결같이 주인공의 정결함과 앞으로 닥칠 운명의 숭엄함을 강조하고 있는 것으로 보였다. 두 원로 재판관이 위태롭게 지켜왔던 사회적 지위와 명망을 한순간에 던져버려야 할 정도의 아슬아슬한 관능미는 솔직히 찾기 어려웠다. 아, 동서를 막론하고 그림에는 문외한이다시피 한 자신이 볼 때 그렇다는 것이지 당대의 관점에서는 또 어떨지 모르겠다. 비록 외경이긴 하지만 구약 <다니엘서>에 근거하고 있다니까 명색이 성화 아닌가. 팀장은 서양이나 동양이나, 그리고 예나 지금이나 인간의 욕망은 다를 게 하나 없다고 나름대로 일반화하며 난삽하게 펼쳐져 있던 창들은 한꺼번에 닫아버렸다.

참! 그런데 이 수산나의 목욕 장면과, 정확히는 배경 스토리와 소위 시죄가 무슨 상관이람? 주의 선지자 다니엘이 수산나의 간통 누명을 시원하게 벗겨주었듯이 시죄라는 게 억울한 사람들을 극적으로 구출해 내는 무슨 묘책이라도 된다는 말인가? 실상은 별로 그렇지도 않았던, 아니 정반대였던 것만 같은데……. 시시각각 꼬여가는 이 상황에서 누가 수산나고 누가 다니엘이라는 건지 도대체 가늠할 도리가 없었다.

게다가 절대 수산나 같을 수는 없는 깡마른 몸매에 타고난 깡다구 심묵화 얘는 장차 어쩌겠다는 건지.

*

결론은 자기는 모르겠다는 것이었다.

통화를 하기에는 다소 늦은 시간에 느닷없이 답신 겸 걸어와서 장황하게 설명을 늘어놓다가는 마무리가 그랬다. 몇 번을 망설이다 심묵화가 보낸 문자는 저녁 내내 읽지 않음이었다. 그의 세상사에 무관심한, 심지어 피곤해하는 듯싶은 표정이 다시 한번 그려졌다. 그 표정 하나 때문에 그를 잊지 않고 떠올렸었고, 음성 파일이 첨부된 질문까지 보낼 수 있었다. 그것도 취재용이 아닌 개인 폰으로였다. 다행인지 어떻든 그 폰에 그의 번호가 남아 있었다.

"이론상으로는 전혀 비슷하다고 볼 수 없는 것들이지요. 구강 안에서 혀를 놀리는 위치도 그렇고……, 입을 벌리는 정도도 그렇고……. 아! 왠지 개구도라는 용어가 그리 낯설지는 않겠지요?"

자칫 그런 쪽으로 받아들여질 수도 있는 말을 그는 정말 입 안의 혀를 능숙하게 놀리고 굴리듯 아무렇지도 않게 시작하였다. 심묵화는 기억 속 그의 특유한 인상만 아니었더라면 진짜 그렇게 들을 뻔도 하였다. 이렇듯 자신이 과민한 것은 어디에서 기인하는 걸까? 근본적으로 점차 나이가 들고 세상 물을 먹어간다고 과연 무뎌질 수 있는 문제일까? 그래도 내가 먼저 믿고 연락을 취한 분에게마저 이러는 것은 아직 소녀 같은 짓이다. 아니 차라리 병이다. 고약한 편집증 말이다.

"우리가 모음을 발음하기 위해서는 필연적으로 입을 벌려야 하는데요……, 그 입을 얼마만큼 벌려야 하느냐가 바로 개구도인 거지요. 열 개, 입 구, 개구도! 이건 알고 계시겠지요?"

이분은 지금 나를 진짜 어린애 보듯 하는구나! 기껏해야 아직도 수강생 대하듯이? 심묵화는 교양 과목 시간에 계단식 강의실 맨 앞줄에서 그를 응시하는 어떤 여학생의 모습을 떨쳐내기 위해 사무적으로 입을 열었다. 여전히 자그맣고 아직은 어리숙한, 어디 남쪽 멀리 지방 도시 출신의 새내기를.

"교수님! 요즘은 생소한 개구도보다는 고모음, 저모음 이러지 않나요? 그러니까 이는 혀의 위치가 가장 높고, 아는 가장 낮고……. 고등학교 국어 시간에 다들 그렇게 배우는 거로 알고 있습니다."

"아! 바로 그건데요. 그렇게 하면 둘의 구별이 좀 무뎌진다고나 할까요? 막연하게 높고 낮고……, 이런 식으로요. 반면에 개구도를 소환하면 이는 일, 아는 사로……, 그 차이를 구체화할 수도 있겠지요? 아무튼 음운론적으로 이렇게나 다르다는 얘깁니다. 그런데 우리 비에이치씨의 여기자님께서는 학부 때 전공이……?"

심묵화는 그가 통화 시작 때와는 다르게 치킨에 곁들인 생맥주 따위의 가벼운 알코올 말고 질적으로 완전히 다른 무언가에 더 취해 있음을 직감하였다. 꾸부정한 키에 호리호리한 몸매, 가까이에서만 보이는 몇 가닥의 굵은 새치, 그리고 고굴절의 은테 안경! 여느 중년 남자 교수와 크게 다를 것도, 그렇다고 똑같을 리도 없는 그만의 분위기에서 느꼈던 예각 비슷한 무언가가 무뎌져 있었다. 하기는 돌이킬 수 없는 과거의, 그리고 자신만의 감정일 뿐이었다. 그것이 얼마나 진정성 있었는가와는 이제 무관하게.

"예! 문자에서 밝힌 대로 정외과 일팔 학번 심, 묵, 화, 입니다. 입학하자마자 교수님의 우리말과 글쓰기 수업을 한 학기 수강했었고요. 그리고 씨, 에이치, 비, 청해방송에서 십이 개월짜리 계약직으로 일하고 있습니다."

"그래요? 그러면 이건 다소 언오피셜리한 논리인데……, 아가 이로 들릴 가능성도 없진 않습니다. 우리 졸업생 기자님이 진심으로 저한테 원하는 바일는지는 모르겠지만……."

이제라도 통화녹음 기능을 켜야 하나? 뭐 그 역시 즉흥적으로만 욕망하고 있다거나, 지금 스스로 초래한 상황이 한때 극혐하던 그런 전형적인 것만 아니라면!

"스나 즈……, 그러니까 사죄든 시죄든 공통적으로 들어 있는 자음들은 어느 정도까지는 팰러틀, 즉 구개음의 성격을 지닙니다. 흔하게는 아, 너무 심들다나 구지 해도지까지 같은 느낌들? 그리고 개구도가 낮은……, 다시 말해서 입천장 가까이에서 나는 모음 이 역시 구개음으로 볼 수도 있습니다. 다소 인과 관계가 뒤집힌 감은 없지 않지만……, 스와 즈 사이의 아에 팰러틀리제이션이 작용한다면 반모음 이로 들릴 수도 있지는 않을까……? 하아……, 이런! 내가 지금 이미 지나간 제자분을 붙들고서……, 무슨 억지소리를 지껄이고 있는 건가? 그건 평생 공부해 온 음운론이 아니라 지극히 개별적인 차원의……, 음성학적으로나 따져볼 문제일 텐데……. 심기자님! 당장은 마땅히 떠오르는 사람이 없어서 그런데요……, 제가 그 분야의 저어믄 여성 한 분을 소개해 드리도록 하지요. 꼭요, 꼬옥! 아, 이만 끊겠습니다."

옛 은사께서 작별의 말씀을 그렇게 먼저 했어도 기다리다 못해 종료 버튼을 눌러야 했던 사람은 심묵화였다. 전문? 젊은? 마지막 횡설수설을 저장해 두지 않기를 차라리 잘했다. 그런데 무슨 일로 연구실에도 나오지 않고 조교들도 연락이 되질 않는다더니 이 늦은 시각에? 심묵화는 당장 그런 생각들보다는 제풀에 달아올랐다가 급작스럽게 시들해졌던 또래의 몇몇 남자친구를 되살려내었다. 그래서 또 다른 결론이라면, 나이나 경륜과 무관하게 남자는 다 똑같은 존재라는 점이었다.

심묵화는 다급했던 시죄든 사죄든을 떠나 우선은 그런 심정이었다.

*

지난 한 주 서울의 한 여자대학교를 뜨겁게 달구다가 황망하게 끝이 난, 때아닌 미투 사건에 대해 살펴보았습니다. 우리 사회에 아직도 이런 불미스러운 일이 끊이질 않고 있다는 점에서 개인적으로도 착잡한 심정을 금할 길 없습니다. 뭐! 아무튼……, 다음 주제로 넘어가 보겠습니다. 국복한 평론가님! 사죄냐, 시죄냐 논란? 이게 도대체 무슨 소리입니까? 논란의 시발점인 저 멀리 청해시를 넘어서 전국적으로까지 확산이 될 조짐을 보이고 있다구요?

예! 우리 앵커께서 말씀하신 대롭니다. 최근에 지방의 청해시에서 실시한 자체 감사 결과 도시철도 건설과 관련해서 대규모의 비리가 적발되었는데요, 결국 그 비리의 몸통이 전직 계오방 시장 아니냐는 의혹을 사고 있습니다. 그것도 해당 지역에서 십 년 넘게 재임한 삼선의 토종 정치인인데도 말입니다. 게다가 이러한 문제 제기는 같은 당 소속의 신임 시장 측에서 나오고 있어 한층 신빙성을 높이고도 있는 실정입니다.

뭐! 아무튼……, 그거하고 사죄? 시죄? 이게 발음하기에도 또 듣기에도 저희까지 헷갈리는 데요, 무슨 관련이 있다는 겁니까? 아! 우리 청취자분들께서 궁금해하시는 도대체 시죄가 뭔지는 잠시 후에 관련 분야 전문가와의 전화 통화로 알아보도록 하고요……, 우선은 논란의 핵심을 조금 더 파고 들어가 보도록 하지요.

네! 그러겠습니다. 비리 의혹이 걷잡을 수 없이 커지게 되자, 사태의 당사자인 계 시장이 의혹을 기정사실화한 현 시장을 항의 방문차 자신이 한때 재임하기도 했었던 시청의 로비를 통과하려다가 장사진을 치고 있던 기자들의 빗발치는 질문에 그러면 내가 사죄를 하겠다, 이렇게 떠밀리듯이 대답을 했는데에……, 사실은 그게 사죄가 아니라 시죄였다는 겁니다. 이것은 한 지역민방에서 처음으로 보도가 된 뒤로 다른 언론사에서도 다시 들어보니 시죄가 맞았다, 아니다! 처음에 방송한 대로 사죄가 맞다, 해서 양측의 의견이 팽팽하게 엇갈리고 있는 상황입니다.

그래요? 그러면 과연 어느 쪽이 맞을지 준비된 녹음 파일을 잠시 들어보도록 할까요? 청취자 여러분들께서도 잘 듣고 판단해 보시기를 바랍니다. (어이, 조 피디! 왜 이렇게 소리가 작아? 볼륨을 좀 더 키워보든지, 한 번 더 틀어보든지! 뭐? 원본 자체가 그렇다고? 청해 이 시골구석 애들은 제대로 녹취 하나를 딸 줄 모르나?) 아! 음질이 썩 좋질 않아서 특별히 두 번씩이나 들려드렸는데도 저는 잘 모르겠는데요. 어떻게 들으면 사죄 같기도 하고, 또 어떻게 들으면 시죄 같기도 하고. 여러분들은 어떠셨습니까? 듣고 보니 충분히 논란이 될 것 같기도 합니다만. 뭐! 아무튼……, 사죄든 시죄든 그게 결과적으로는 어떻게 다르다는 겁니까?

바로 그 점이 이번 논란의 최대 쟁점인데요, 사죄는 말 그대로 지은 죄를 사과하겠다, 이렇게 해서 자신의 위법 사실을 스스로 인정하는 꼴이 된다는 겁니다. 반면에 시죄는 내가 죄를 지었는지 아닌지 어디 한번 따져나 보자, 이런 의미가 돼서 정반대의 해석이 가능하다는 것이구요. 원래 사전적으로 시죄의 시 자가 시험할 시 아닙니까? 또 역사적으로도…….

아, 그 얘기는 잠시 전하는 말씀을 들은 후에 앞서 예고해 드린 대로 전문가와의 전화 연결을 통하여 아주 상세히 알아보도록 하겠습니다. 국복한 평론가와는 여기서 작별합니다. 오늘도 수고 많으셨습니다. 저는 멀리 안 나갑니다. 살펴 가십시오. 아아, 저희 한낮의 시사 사랑방을 사랑해 주시는 청취자 여러분들은 말고요오……

……예에! 전화 연결합니다. 현대종교와 미래철학 연구소의 어숭선 박사님! 나와 계십니까? 나와 계시면 단도직입 시죄에 관해서 우리 청취자분들께서 최대한 이해하기 쉽게 말씀해 주시겠습니까?

예! 종교역사학 박사 어숭선입니다. 먼저 여러분 같은 문외한이 트라이얼 바이 오딜, 줄여서 그냥 오딜이라고도 하는 시죄를 이해하기 위해서는 마녀사냥과 결투를 함께 떠올려 보시는 편이 좋을 듯싶습니다. 중세 시대에 마녀사냥의 수단으로 시죄가 활용된 측면이 있고, 또 그런 시죄가 완전히 금지된 근현대에 들어서까지 개인적인 분쟁의 책임을 가리는 방편으로 유럽 일각에서는 결투의 형태로도 존속했기 때문입니다.

아, 그러니까 유럽 말고도 저기 미 서부극에 자주 등장하는 그 결투 말씀하시는 건가요? 이봐! 하나, 둘, 셋 하면 동시에 뽑는 거다. 더 이상 미련도 후회도 없겠지? 이런 거요. 뭐! 아무튼……, 듣자 하니 흥미로운 이야기이긴 한데, 그걸로는 정확한 판결이 어렵지 않겠습니까? 물론 영화에서는 예외 없이 악당이 먼저 쓰러지기는 하지만 말입니다. 왜 미국에서는, 아니 서양에서는 그렇게까지 한 겁니까? 유럽 문명의 암흑기라는 중세에 말도 되지 않는 마녀사냥은 기껏 종교적 광기 때문이었다고 이해해 준다 치더라도 말입니다.

예? 에에……, 지극히 피상적인 관점만으로는 그렇게 보실 수도 있는데……, 비단 중세 유럽뿐만이 아니라 저희 나라도 지금으로부터 가장 가까운 이조시대에도 무고한 죄인이 토설을 하지 않으면 그 사람이 죽을 때까지 참혹하기 이를 데 없는 무자비한 국문을 자행하기도 했고…….

잠시만요! 저희 나라가 아니라 우리나라에도 어떻게 보면 시죄라고 할 수 있는 역사적인 사례가 있다? 아니 있었다? 어 박사님! 실례지만 말씀하신 학위가 종교역사십니까, 아니면 역사종굡니까? 정확히 시죄의 개념이 뭐길래 이 자리에서 애먼 우리나라의 역사까지 소환이 되어야 하는 겁니까?

아하……, 절대 그런 건 아닙니다. 중세의 철학적 지주인 기독교를 그런 식으로 단선적으로 재단해 버릴 수는 없다는 말씀을 드리자는 겁니다. 그리고 저희 나라……? 아, 저희 민족의 역사에서 마치 서구적인 시죄가 있었다는 뜻으로 사회자께서 다소 제 말씀을 견강부회? 아니, 희화를 하고 계신 것 같은데…….

아아, 잠깐만요! 아까부터 자꾸 저희 나라, 저희 민족, 이런 식으로 표현을 하고 계시는데요……, 국가나 민족과 같이 존엄한 존재는 화법상 겸양의 대상이 될 수 없으므로 반드시 우리라고 하셔야

함을 잠시 알려드리겠습니다. 혹시 요즘 다른 방송에 나가서도 그러셨으면은 분명 바로잡아 주는 사람이 하나쯤은 있었을 텐데……. 뭐! 아무튼……, 하시려던 말씀 이어가 주시겠습니까?

이거 참, 유감스럽게 됐습니다! 제가 외국에서 장기간 연구와 체류를 거듭하다 보니까 저희 한국어에는 생경하고 서툴러서……. 어찌 되었든 이렇게 어렵고 까다로운 방송 출연은 계속하기가 실로 난감할 것 같습니다. 이만 전화 끊겠습니다!

*

이런 계 같은 경우가……, 그럴 거면 차라리 누구처럼 화끈하게 스카이다이빙이나 즐겨라. 거기 청해는 수도 서울과 달리 방사능에도 끄떡없이 언제나 물 맑은 바다도 있다고 자랑질만 하지 말고…….

평생을 갈고닦아 온 지식도 변변히 전달하지 못하고 변죽만 두르다가 만 전문가도 아니었다. 이슈를 빠르게 선점하고 기어이 선정화하기에 이골이 난 언론 권력자도 아니었다. 과연 시죄가 무엇인지 미주알고주알 속속들이 까발려 놓은 것은 이 난마 같은, 아니 넝마와 다름없는 대한민국 사회를 역동적으로 굴러가게 만드는 행동적 집단지성이었다. 각종 온라인 커뮤니티를 비롯하여 생계형 정치 유튜버, 어둠 속에서도 깨어있는 카페지기, 하다못해 타격감 좋은 키보드 워리어 등등 이루 헤아릴 수조차 없었다. 실상은 별로 상관도 없는 수산나의 섹슈얼리티를 놓고 다툴 경지에까지 이르렀다. 그러면서도 그들은 이번 논란의 시발점이 정확히 무엇이었는지를 이미 잊었거나, 아예 관심조차 없는 듯 굴었다.

"심 기자! 너, 지금 가슴이 차오르면서도 식은땀도 나고 막 그러지? 새파란 신입이 귀한 경험 하나 했다 치부하고 깨끗이 잊어버리라고. 이 문제는 우리 씨에치비 차원에서는 더 이상 거론하지 말자는 뜻이야! 인제는 지가 알아서 이리저리 굴러다니다가 아무렇게나 곤두박질쳐 버리거나 말거나."

지역 언론을 선도하는 청해방송의 보도국 취재편집팀장은 자주 그렇듯이 어젯밤의 과음으로 인한 어취와 더불어서 실시간으로도 어폐가 상당히 심했다. 이번 일을 옛날 외상 장부에 꼼꼼히 적어놓듯 하자면서도 또 기억 속에서는 말끔하게 지워버리라는 것은 도대체 무슨 말일까? 진작에 사실을 확인해 볼 수도 있었던 기회는 자기가 날려버리고 그저 기다려 보자고 버틴 사람이 누구였는데.

"아직 계오방 전임 시장 측의 반응이 나온 게 없는데도요? 현재로서는 죽었는지 살았는지 행적도 묘연한 상태입니다만……."

"햐! 이 친구, 순진하기는? 그 양반은 이딴 일로 절대 목숨 같은 걸 포기할 사람이 아냐. 오히려 멀쩡하니 잠자코 틀어박혀서 이 전국적인 소란을 즐기고 있을걸? 까맣게 지워질 뻔한 자신을 다시 알리는 데 일등 공신이나 다름없는 당신한테 한없이 감사해하면서……. 그러니까 벌써 바다 멀리 스카이다이빙 어쩌고 하는 말도 나오고 그러는 거 아냐? 지방 선거 끝난 지 얼마나 됐다고……. 아예 그 연세에 여의도 첫 입성을 노리고 있는지도 모르지?"

여러분의 호빵맨이 이번 도시철도 건설에서만큼은 어디 한번 제대로 개오바앙! 화끈하게 보여 드리겠습니다. 우리 친애하고 존경하는 청해 시민들을 위하는 길이라면 내 고향의 땅과 바다, 그리고 하늘을 가리지 않고 이 사람 뛰지 못할 곳이 어디 있겠습니까?

계오방 시장은 재임 중일 때도 자신을 희화화하길 마다하지 않았었다. 토착 지방직 공무원 출신이 어쩔 도리 없이 지니게 되는 고착된 이미지를 깨기 위한 나름의 노력이라 했다. 아무리 시민의 공복이라도 다소 과한 부분이 있다는 주변의 만류에도 아랑곳하지 않았다. 그래서 마무리 단계에 접어든 도시철도 건설뿐만이 아니라, 지금도 시끄러운 방폐장 유치 등 여러 시정 현안에서 마땅히 지켜야 할 도와 선을 넘어섰던 것일까? 심묵화는 그 점이 이번 논란의 핵심임을 잊지 않았고, 또 놓치지 않으려고도 했다. 그에 비해 명색이 취재편집팀장이라는 사람은 저들과 다를 바가 하나 없질 않은가?

"설마 그 다이빙이라는 말뜻을 모르셔서 그러시는 건 아니겠죠? 팀장님! 아무리 그래도 같은 학교 선후배들끼리 어떻게……."

"그럼, 이미 다 끝난 사람이라도 된다는 말이야, 지금? 아무튼, 그렇게까지 판이 커지고 있다면……, 우리 심 기자 입장에서는 별로 나쁠 것도 없겠구먼그래? 진짜 이러다가 계약 기간도 채우지 못하고 서울 어디 종편으로 특채라도 되는 것 아냐? 아! 올라갈 때 가더라도 나한테 미리 귀띔이나 해 달라고! 내려올 때처럼 느닷없이 그러지는 말고……."

팀장의 비아냥과는 전혀 무관하게 심묵화는 그래 그게 어찌 보면 시쇠의 정곡을 한 방에 찌른 말일 수도 있어 생각을 머금으며 더는 입을 열지 않았다. 맑고 푸른 바다든 어디든 손이 뒤로 묶인 채 거센 물결을 향하여 뛰어든 사람이 그대로 가라앉으면 그것은 절대자의 추호도 의심할 길 없는 징벌인 것이다. 만에 하나, 어떤 영문인가로 드물게 죽지 않고 다시 떠오른다면 그것이야말로 우리 모두 두려워 마지않는 마녀이거나 사탄임을 확고부동하게 증거하는 셈이다. 따라서 그들에게는 가장 뜨겁고 세찬 화염만이 유일무이한 죄 사함의 길일 뿐이다. 그런데 지금이 꼭 그래야만 하는 시대일까? 멋모르고 교회에 이끌려 나간 적이 있었다고 해서 나도 모르는 사이에 거기까지 의도했던 것은 아니었는데.

중요한 것은 유향나무냐, 떡갈나무냐가 아닙니다!

팀장의 예측대로 소란이나 즐기기에는 너무 적적해서였을까? 아니면, 도저히 참아줄 수 없는 지경으로까지 사태가 치달았다고 판단해서였을까? 전임 계오방 시장이 이렇게 시작하는 장문의 소회를 페이스북에 올린 것은 첫 관련 리포트가 나가고 나흘만이었다. 젊고 아름다운 여인도 아닌 자신을 마치 희생양 수산나인 듯 빗대어 표현한 글이었다. 심묵화는 계오방 역시 자기 아버지 심 주필만큼이나 청해은혜교회의 오랜 신도였음을 기억해 내었다. 몇십 명은 됨직한 장로들 가운데에서도 시장은 일개 주필보다야 더 활달한 신앙과 독실한 교유로 교회 안팎에서 두루두루 으뜸이었다. 심묵화는 까맣게 잊고 있었던 그 교회에서의 어린이 성경학교나 중고등부 연구모임이 자신에게 몹시도 뿌리 깊었음을 뼈아프게 깨우쳐야 했다.

지금도 심묵화가 떠올리기로는……, 수산나를 범하는 데 실패한 두 원로 재판관은 그녀가 정체불명의 남자와 나무 아래에서 부정한 짓을 저지르고 있었음을 직접 목격했다면서 무지한 군중들에게서 사형 선고를 유도해 낸다. 그때 죽음을 앞두고 간절하게 여호와를 찾는 수산나의 절규에 기꺼이 화답이라도 한 것이었을까? 주의 젊은 대리인 다니엘이 나타나서 원로들의 그간 음행을 준엄하게 꾸짖은 연후에 둘을 격리케 한 채 각자에게 차례로 묻는다. 도대체 어떤 나무 아래였습니까? 과연 저 여인이 이 자리에 존재하지도 않는 자와 더불어 관계했다는 곳이……. 여기서 서로 대답이 엇갈린 두 종류의 나무는 비록 결정적이기는 하겠지만, 오로지 정결했던 수산나의 무고함을 증명하는데 동원된 한낱 소품일 뿐이라는 기억이었다.

다만 중요한 것은 제가 주님의 신실했던 딸처럼 진정 무구하며, 또한 못내 억울할 따름이라는 사실입니다.

젊은 사람들이 읽기에는 다소 긴 호흡을 요하는 게시글의 결말은 의외로 선연하였다. 하지만 심묵화가 주목하게 된 것은 바로 그 앞 단락이었다. 자신은 사죄도 시죄도 하겠다고 말한 적이 결연코 없다는 것이었다. 단지 뚜렷한 혐의도 없는 자신이 이렇듯 여론 공세에 떠밀려서 억지로 사죄건 시죄건 해야겠느냐고 반어적으로 항변했을 뿐이라는 것이었다. 지금이라도 늦지 않았으니 제발 자신의 당시 발언을 처음부터 끝까지 잘 들어보라는 것이었다. 그리고 숭고한 믿음의 영역인 시죄를 둘러싼 이 소모적인 논쟁을 지금 당장 끝내 달라는 것이었다.

*

"걱정할 게 뭐 있어? 우리 심 선배께서야 워낙 지역을 넘어서서 적이 없는 분이라서 이 사람 저 사람 가리지 않고 단단하게 연이

닿아 있는 마당에……. 아마 잘 해결될 거야. 아니, 분명히 잘 해결이 되어야겠지?"

심묵화는 몇 층 위인가를 손가락질하다 줄을 잡아당기는 시늉으로 일관하는 취재편집팀장과 눈을 마주치지 않았다. 아버지인 심주필이 근무하는 청해매일신문은 같은 건물의 최상층부를 차지하고 있었다. 거기로부터 살포시 내려오는 존재가 자신이라는 건지 아버지라는 건지 도무지 이해할 수 없었다. 팀장은 왜 끝끝내 나를 아버지와 엮어서 바라보려고만 하고 있을까? 그 낙하산에 자승자박한 꼴인 우리 부녀 모두의 잘못이라는 걸까?

"계오방 시장의 고소 건과 저희 아버지의 전직은 아무런 상관도 없다고 생각합니다. 아버지께서 갑작스럽게 청해미디어그룹을 떠나게 되신다고 해도 저는 변함없이 우리 씨, 에이치, 비, 소속이니까요."

"내 말이! 그러니까 떠날 때 떠나시더라도 이번 건은 어련히 알아서 잘 처리해 주시겠느냐는 뜻이잖아?"

선후 관계도 그렇지만 인과 관계도 불분명한 일들이었다. 지역적 연고나 기반이 취약한 신임 시장이 오랜 터줏대감 격인 청해매일의 심 주필을 문화복지 담당 정무부시장으로 영입하기로 했다는 풍문이 돌고 있었다. 이 천만뜻밖의 인선이 그야말로 전격적인 건지 치밀하게 계획된 건지 그 배경 분석마저 분분하였다. 전임 계오방이 최초 보도 기자와 소속 언론사를 정보통신망법 위반과 위계에 의한 명예훼손 등의 혐의를 줄줄이 걸어 고발 예고한 것과 거의 동시에였다. 부디 이 쓸모없는 소동을 끝내 주십사는 게시물에 아직 2일

전이라는 표지가 붙어 있을 시점이었으니까.

"아, 이 사람! 왜? 아직도 상황 파악이 잘 안돼? 투철한 직업 정신의 화신들께서 꼬리에 꼬리를 물게 만든 고리요 매듭이라는 사실이……. 그래서 내가 이번 사태의 장본인들께서 스스로 풀어야 한다는 거잖아? 괜히 애먼 조직한테까지 민폐나 끼치지 말고."

시작은 객지나 다름없는 청해 바닥에서 전임 시장의 흔적을 지우기 위해 신임 시장이 걸어온 철저하게 기획된 싸움에 풋내기 기자 심묵화가 멋모르고, 아니면 눈치껏 말려들었다는 것이다. 어쨌거나 전임 계 시장은 고맙게도 심묵화가 촉발한 논란에 편승하여 공격자의 예봉을 피하고 잠시 숨 돌릴 여지를 마련한다. 어쩌면 또 다른 비상의 발판마저도. 그래서 내친김에 심묵화를 걸어 소강상태로 빠져드는 전황을 한번 떠보기로 한다. 이에 사세가 여의하지 않음을 감지한 현 시장이 심묵화의 아버지 심 주필을 우군으로 영입하기에 이르니…….

아, 아니다! 마지막 부분은 정반대의 순서와 논리일 수도 있겠다. 좋은 의미에서든 나쁜 의미에서든, 정치적 선배는 예상보다 내공과 경륜이 만만치가 않았다. 따라서 일부 세 불리함마저 감지한 후배가 서둘러 심 주필에게 감언이설, 지원을 요청하기에 이른다. 계오방 시장으로서는 철석같이 자기 편이라고 믿어 왔던 심 주필이 등을 돌릴 태세다. 그간 너무 믿어서 깊은 속내까지 드러내 보이지는 않았는지 도무지 확신이 서질 않는다. 그러면 하는 수 없다. 배신자의 딸이기도 한 가장 취약한 먹잇감이라도 겨냥하는 수밖에…….

밑도 끝도 없는 팀장의 호사가다운 배경 분석 안에서도 분명 아버지와 딸은 같은 처지가 아니었다. 심 주필이 여유롭게 활공을 즐길 수 있다면, 심묵화는 썩은 동아줄에 달랑달랑 매달린 형국이었다. 그리고 더는 아버지가 그런 딸에게 손을 뻗어 줄 것 같지도 않았다. 사실 그것은 심묵화 자신이 원했고, 또 공언한 것이기도 하였다. 그 은혜가 과도한 교회에도 나가지 않겠다. 대학도 내가 원하는 대로 가겠다. 직장생활도 내 힘이 닿는 데까지는 알아서 해보겠다. 비록 고향 시골구석에서 시작해야 한다지만 기필코 서울 메이저 저널리즘에 다다를 것이다.

참, 그날 서울 대학 은사와의 새벽까지 통화 관련해서 시죄냐 사죄냐 말고도 꼭 개인적으로 확인할 게 따로 더 있었는데……. 아, 어쩌면 따로가 아닐 수도 있었겠다. 이건 논리의 자가 비약이긴 하지만, 그래서라도 나는 언젠간 반드시 서울로 올라가야만 한다!

심묵화는 청해에서 서울까지 이르는 길을 한 발짝 한 발짝 내디뎌야 한다는 데에 불만이 없었다. 새삼 진정 원하는 바이기도 하였다. 그 거친 흙먼지 길 속에 시뻘겋게 달구어진 삽이니 보습이니 하는 쇳덩이들이 숨겨져 있다고 해도 그건 어쩔 수 없는 일이었다. 가라앉아도 죽고 떠올라도 죽는 물보다야 불이 한결 나은 것이다. 그 길을 끝까지 걸어갈 수만 있다면 자신은 절대 사악한 마녀일 리가 없었다. 순결한 수산나와는 상관도 없고, 그렇게 되길 바라지도 않았다. 그저 이번 불길만 견디면 되었다.

“내가 맑은 바다 밝은 소리 청해방송 보도국 직속 팀장으로 우리 심묵화 기자님을 생각해서 하는 말인데……, 전지전능하신 당신 아버님께 좀 도와달라고 빌어! 이렇게 괜히 겪지 않아도 될 시련을

군이 감내할 필욘 없잖아? 음, 내 좀 알아봤더니만……, 달궈진 쇳 조각들을 일정한 보폭으로 깔아놓아서 시죄를 자청한 사람이 단 한 개라도 밟지 않고서 무사히 통과하도록 하는 편법도 있었다는 거야. 그것도 그 고지식한 시대에 드물지 않게 횡행했었다나? 듣고 보니 어때? 이런 개 같은 상황에서 참고가 될 만한 참 괜찮은 꼼수, 아니 진짜 묘수지? 안 그래?"

※ 본문의 시죄 관련 정보는 《법, 문명의 지도》(퍼난다 피리, 이영호 역, 아르테, 2022.)를 주로 참고하였습니다.

진정한 사과의 챔피언

현실적으로, 아직은 정언에게 무언가 미진한 것이 남아 있는지도 모르겠다고 이담은 인정하기로 했다.

다행히, 그러는 편이 나을 거라는 생각으로 휑뎅그렁한 중형택시의 뒷좌석을 견뎌낼 수 있었다. 지하철이 지나는 간선도로에서 갈라져 북서구청으로 길게 이어지는 편도 2차로는 환승을 했어야 할 1024번 지선버스의 노선과 일치했다. 그런데도 굳이 중도에서 택시를 잡아탄 이유를 자신에게만이라도 해명해야 했기 때문이었다. 실은 몇십 분쯤 늦는다고 무슨 큰일이 벌어지는 것도 아니었다. 그것은 정언이 일방적으로 정한 시간일 뿐이었다. 아니 이담 본인이 제시각에 나타나지 않아도 오늘이 기한인 신고에는 아무런 문제도 없을 거였다.

이담은 사고가 있던 반년도 더 전에 비해서 무엇 하나 달라져 보일 성싶지 않은 후락한 동네의 민원센터 맞은편 GS25 앞에서 차를 멈추었다. 매일 자신이 바라보는 맑고 푸른 바다는 꿈도 꿀 수 없었다. 옹색이나 무질서라는 표현마저도 과분할 것만 같게 재개발의 손길이 시급한 재래식 주택가. 이곳에 신호등이 몇 개인가 추가로 설치되었다고 한들 다들 아랑곳하지 않을 것이다. 사람들은 여전히 불법 주행과 무단횡단을 일삼고 있을 테고, 과일이나 채소를 파는 낡은 1톤짜리 봉고 트럭들도 어딘가에서 잔뜩 웅크리고 있을 건데…….

그런 생각에 비슷한 기온이겠지만 계절이 정반대로 바뀌었다는 점을 하마터면 놓칠 뻔하였다. 예전에는 답답하기 일쑤였던 이 거리가 갑자기 시원스레 탁 트인 느낌으로 다가왔기 때문이었다. 아마도 플라타너스 가로수들이 무성히 낙엽 지는 가을이 오기 전에 구청이나 시청에서 서둘러 작업한 결과일 것이다.

"손님! 죄송한데요, 이 카드가 인식이 잘 되질 않네요오. 저희 단말기 이상은 아닐 텐데에……? 예에! 다시 해보겠습니다아!"

룸미러를 통한 이담의 의아해하는 표정이 방금 지하철에서까지만 해도 아무 문제가 없었는데요? 쯤으로 읽힌 듯했다. 따라서 느긋하고 사려 깊은 백발의 개인택시 기사는 스스로 해결책을 찾기로 한 모양이었다. 끼고 있는 하얀 면장갑으로 카드를 정성스레 쓸어내린 뒤에 재차, 삼차 시도 중이었다. 그러나 그의 배려와 수고는 아무런 소용도 없는 듯싶었다.

"손님! 정말 죄송한데요, 다른 카드나 현금 없으세요? 이거 칩이 긁힌 것 같은데에요……."

그제야 기사는 변함없는 이담의 표정이 뭔가 다른 말을 하고 있음을 비로소, 그러나 얼핏 알아차렸을 것이다. 가령 다소 무리한 해석을 가하자면, 아저씨가 뭔데 왜 저한테 자꾸만 죄송하다고 그러시는 건데요? 정작 죄송해야 할 사람은 저렇게 따로 있는데…….

따위와 같은?

“죄송하지만 기사님, 이거로 해주시죠! 좀 늦었다? 조심해서 천천히 내려!”

“어, 고마워! 근데 나 안 늦었을 건데…….”

어느새 도로를 건너왔는지 마스크를 올려 쓴 정언이 삼분의 일쯤 내려진 운전석 쪽 창틈으로 자신의 카드를 내밀며 이담에게 익숙한 눈짓을 건넸다. 마찬가지로 언제나처럼 신용카드가 아닌 분명 농협 체크카드일 것이다. 이담은 자신이 한 오 분쯤은 늦었을 수 있다고 짐작하면서도 미안이라는 말만큼은 피하고 싶었다. 굳이 오늘, 이 시점에까지 이르러서 정언에게 그 말을, 혹은 그와 비슷한 말이라도 먼저 꺼낼 필요가 있을 건가? 이렇게 번거로움을 무릅쓰고 여기까지 와준 것만 해도 어디인데……. 그것은 정언의 간청이든, 아니면 압박이든을 물리치지 못한 자신을 향한 단순하면서도 무겁지 않은 질책이기도 하였다.

*

가볍다고까지는 할 수 없겠지만 그것은 정말 간단한 절차였다.

정언이 인터넷에서 내려받아 미리 작성해 놓은 이혼신고서에 이담은 서명과 사인만 했다. 그걸 이미 지방법원에서 발급받은 확인서등본과 함께 제출하면 되었다. 당연히 태아 포함 미성년 자녀가 없으니 친권자 지정 신고까지는 신경 쓸 필요조차 없었다. 생각보다는 번거롭지 않았던 법원에서보다도 수월했다. 차라리 싱거웠다는 표현이 더 어울릴 법하였다. 그것은 시종일관 사무적인 태도를 잃지 않았던 중년의 접수 담당 여직원이 순간적으로, 이게 뭐 복잡한 일이라고 인제서, 그것도 둘이 다 왔지? 같은 미세한 표정을 감추지 못한 데에서도 확인할 수 있겠다, 이담은 그렇게 판단했다. 아, 뭐 좋은 일이라고!였을 수도 있었다.

이제는 아득하기만 하지만 확정판결 직후였으니까 겨우 석 달 전쯤이었다. 질식할 것만 같았던 한여름 밤의 열기 속에서 대충 몸만 빠져나왔던 저 다행빌라 3층에는 법원에서 말고는 일절 쓸모가 없었던 인감용 도장도 운전면허증도 모두 다 그대로일 것이다. 그리고 지나간 결혼생활의 잔재도 고스란히 남아 있을 것이다. 이담은 자신이 단 한 순간도 그런 것들의 관련자인 적이 없었던 것만 같아 다시 한번 아득해졌다. 차라리 우리 미래와 관련해서도 그랬었다면…….

"우리가 법적으로는……, 인제 부부는 아닌 거지만……, 그래도 미래의 부모인 거는 부정할 수 없을 테니까 종종 보기는 해야 할 거야."

"자기야! 아니, 정언 씨! 당신, 그거 그만하면 안 될까? 나는 시청이고 피켓이고 뭐고……, 다 지워 없애버리고 싶어!"

지난번 법원 앞 냉면집에서는 당신이 계산을 했으니, 오늘은 내가 점심을 사겠다고 해서 이리로 이끌려 들어온 것이 후회되지는 않았다. 후회하든 거절했든 이담은 결국 정언과 이렇게 마주 앉게 되었을 것이다. 내가 신고를 제대로 하는지 마는지 법률적인 당사자로서 확인할 권리와 의무가 있다는 일깨움도 마찬가지였다. 이담에게는 확인의 권리든 신고의 의무든 중요치 않았다. 정언이 혼자서만 신고를 끝냈다고 거짓말을 했더라도, 심지어는 자기 몰래 관련 서류를 갈기갈기 찢어버렸대도 일없을 것이었다. 굳이 이런 식으로 마지막 날인 오늘까지 질질 끌 필요도 없이 확정판결 당일 내처 신고를 끝마쳤대도 그건 같은 의미였다.

정작 이담이 필요로 하는 것은 사과였다.

미안해, 미안해, 정말로 미안해! 그것도 이루 헤아릴 길이 없는 사과의 말들을 천연덕스레 다시 제 입으로 달고 사는 것이었다. 그러기 위해서는 단 한 차례의 사과면 족했다. 미안하다! 정언의 솔직한 말 한마디면 충분했다. 그러나 사과의 당사자인지 상대방인지는 그럴 생각이 없는 듯했다. 아니, 간절히 그렇게 해보고 싶어서 끝까지 이담을 붙잡고 있었다. 하지만 도저히 그럴 수가 없어서, 이담을 여기까지 끌어들이고도 이렇게 앉혀 놓고서만 있는 것이었다. 기어이 시장에게서 친히 심심한 위로와 유감의 말씀이라는 공식적인 표현까지 받아냈으면서도 도저히 멈추지 못하고 있었다. 그래서 미래의 부모라는 이미 빛 바란 법적 지위는 이 모든 일의 근원이면서 구실이기도 하였다.

"정말 죄송하지만, 지금 정신없이 바쁘신 것은 같은데……, 볼륨 조금만 키워 주시면 안 되겠습니까?"

먼가 죄송한다 그런는데……. 이담의 등 바로 뒤 카운터에서 스마트폰에 정신이 팔려있는 젊은 중앙아시아계 여자였다. 맞은 편 정언의 귀에까지 들렸을 수도 들리지 않았을 수도 있는 그녀의 의도적인 성량은 공영방송의 정오 로컬 뉴스 속으로 묻혀들어갔다. 관공서 주변의 흔한 감자탕 전문점과는 어울릴 것 같지 않은 금발의 이방인 여자가 곁눈질을 한 번 하고는 다시 아이폰 속으로 돌아갔다. 경쟁사 상표의 중형 벽걸이 TV에서는 이담도 정언도 직접 대면한 적이 있는 바로 그 시장의 얼굴이 클로즈업되고 있었다. 이담은 화면을 뚫어져라 응시하던 정언의 표정이 싸늘하게 식어 내리는 모습을 그간의 동통을 되새기며 지켜보는 도리 밖에는 없었다.

한동안 멍하니 텔레비전 쪽을 바라보며 숟가락질로 황태해장국을 헤집고만 있는 정언이 나쁘지 않은 사람이라고 이담은 생각해 왔었다. 그간 자신의 배우자나 남자친구로서도 비교적 괜찮은 편이었다. 어쩌면 속으로는 과분하다고 여기며 그와 함께해 왔는지도 모르겠다. 하지만, 무엇보다도 한 아이의 부모로서는 이 세상 그 누구와도 견줄 바가 없었다. 엄마인, 혹은 엄마였던 이담 자신도 도저히 미칠 수 없을 지경이었다. 이제 막 부부의 연이 다한 지금도 저토록 요지부동이었다.

*

"허이담 씨는 왠지 말랑말랑한 아기들 장난감 공 같은 면이 있어서……, 으응, 좀 편할 것도 같아요!"

시청에서 함께 일했던 한 달간의 대학생 행정 인턴 아르바이트가 끝나는 여름밤, 닭갈비 전문점 바로 옆자리에서였다.

"예에……? 지금 저 놀리시는 거죠? 강정언 씨! 이거 그런 거 맞죠?"

그간 업무 관련해서 말고는 별다른 대화가 없었던 정언의 은밀하면서도 돌발적인 발언은 넉넉한 푼수의 이담으로서도 명백히 무례하고 불쾌하기까지 한 것이었다. 특히 일부 표현은 다분히 신체적인 특징을 빗댄 성희롱으로 받아들여도 됨직했다. 이담이 정색으로 반응한 것도 일단은 그런 맥락에서였다. 그러는 한편으로는 원래 이런 사람이 아니었을 텐데……, 혹시 오늘 밤 분위기와 술이 과했나? 하는 마음도 없지는 않았다.

성별과 연령대를 떠나서 이담은 자신이 그리 세심하지 못한 사람이라는 사실을 언젠가부터 자각하고 있었다. 오히려 한심하리만큼 둔감한 편이겠지? 아, 이런 내가 그간 알게 모르게 남들을 불편하게, 심지어 불쾌하게 만들었을 수도 있었겠다! 요즘 여자치고는……, 그 나이에 비해서는……, 이라는 전제가 늘 빠지지는 않았다. 그러나 서글서글하고 까탈스럽지 않아 좋다는 평가가 마냥 칭찬으로만 들리지 않을 그 시점에서도 이담은 달라질 수가 없었다. 그건 이담이 선택의 여지 없이 달고 태어난, 그냥 신체의 한 부위와도 같은 거였다. 인류가 유전적으로 민감하지 못한 후각에 대하여 일분일초도 쉬지 않고 불만을 품고 살아갈 수는 없는 것이다. 이담 역시 철두철미 그렇게 스스로를 변호하거나, 나아가 그런 자신을 견디어 내는 수밖에 없었다.

"그런 의미에서……, 여기 끝내고 우리 시원한 아메리카노나 마시러 갈래요? 제가 사겠습니다."

과연 이런 것도 적절하고 유효한 사과의 방식이 될 수 있을 텐가? 어쩌면 이 사람도 스스로 어쩔 수 없는 그 무언가를 안고 태어났는지도 모를 일이다. 정확히 반대편의 자신과 마찬가지로 말이다. 이담은 그런 생각들과 먼저 싸워야 했다. 아니 싸워야 한다고 생각했다.

"예에……? 강정언 씨랑 제가 커피를요? 그런데 왜요? 만약에……, 마시고 난다면요?"

이담이 여름방학 아르바이트 내내 달고 살았던 아이스 아메리카노를 특정해 놓고도 정언 자신은 그걸 마시지 않았다. 아주 쓴 에스프레소였거나 정반대로 아주 단 라테류였을 텐데 본디 세심하지 못한 이담은 기억해 낼 도리가 없었다. 단지, 그게 매우 뜨거웠을 거라는 막연한 감각 말고는……. 정언은 이담을 위하여 시원한 커피 주문 말고는 시원스레 사과를 하지 않았다. 아예 그럴 필요조차 느끼지 못하는 듯하였다. 심지어는 이담의 휴대전화 번호까지 요구하였다. 얼마 뒤 이 모든 게 자신을 향한 호감의 표현이거나 나아가 구애의 과정이었음을 깨닫게는 되었다. 하지만 그때 당장 이담은 엇갈린 속마음을 드러내지 않으려고 되지도 않을 애만 썼다. 자신도 그게 무엇인지 정확히 모르면서 그래야만 되었다.

내가 강정언 씨만 같았으면……. 저런 사람이 내 옆에 있어 준다면……. 앞으로도 저 남자와 함께할 수 있다면…….

사실 이담은 결국 학비 조달이라는 본질 말고는 썩 내키지 않았던 행정 인턴 내내 그런 생각들로 버틸 수 있었다. 자신이 결여하고 있다고 여겨왔던 것들을 정언이 완벽하게 갖추고 있음을 발견했기 때문이었다. 그것이 아무리 사소하고 하찮은 것일지라도 이담은 모른 척할 수가 없었다. 서류를 양면으로 복사할 때 앞뒷면의 방향을 헤맨다든지, 스캔 유리판 위의 마지막 원본 한 장을 챙기지 못한다든지, 배부를 마치고 나서도 남게 된 한 부의 주인을 헷갈린다든지 하는 자잘한 실수를 놀랍게도 팀장인 정언은 미리 헤아리고 있었다. 그리고 아무런 불평과 공치사도 앞세우지 않았다. 어떠한 동정도 연민도 드러내지 않고 그저 자기 업무의 일부인 양 묵묵히 해결해 주었다.

"번번이 죄송해요! 강정언 씨는 이러는 제가 어쩌면 한심해 보이기도 할 거예요. 하지만 저는 오히려 안 그런 강정언 씨가 진짜 대단하다고 생각해요. 그리고 정말로 미안하게도 고맙게도 생각하고 있습니다. 안 그래도 저 같은 애 때문에……, 어쨌든 앞으로 더 힘들지는 않으시겠어요?"

"허이담 씨라면……? 딱히 생각해 보지 않아서 그건 잘 모르겠네요!"

업무상의 괜한 인사치레가 아닌 이담만의 방식으로 자신의 둔감함을 견뎌보려는 안간힘이었다. 정직한 대답을 회피하려는 정언 역시 자신만의 방식이 있는 듯했다. 아마도 이담의 방식에 어느 정도 익숙해진 뒤였는지도 몰랐다. 그건 헤어지는 오늘까지도 절대 석연치가 않은 문제였다.

이담은 정언과의 마지막이 될 뻔한 그날 밤 성희롱성 발언에 대한 해명이나 사과를 끝내 고집하지는 않았다. 어쩌면 그것이 자신 때문에 힘들지는 않겠느냐는 이담의 질문에 대한 정언의 뒤늦은 답변일 수도 있는 까닭이었다. 대신에 그 자리에서 전화번호는 물론, 그를 용인하는 마음까지도 고스란히 건네주었다. 그러는 것이 인과적으로 타당할 거라는 예감 하나만으로 그러기로 하였다.

*

"엄밀히 말해서, 우리는 최소한 저 정도의 제대로 된 사과도, 확고한 재발 방지 약속도 아직 받아내지 못한 거잖아?"

정언은 결국 숟가락을 내려놓으며 자신이 선언한 대로 미래의 부모로서의 연마저 끊을 생각이 없음을 분명히 하였다. 목울대를 살짝 들썩거리며 거듭 들이켜대는 정수기의 차가운 물 한 잔이 그 점을 다시 한번 강조하는 듯했다.

"정언 씨! 저 시장으로서도 그만하면 충분하다고 생각하는 건 아닐까? 지금 보니까 시야를 가린다고 가로수도 새로 정리한 것 같으던데. 그리고……, 그건 그냥……, 그 누구에게든 흔하디흔한 교통사고였을 뿐이잖아?"

이담은 지금이야말로 천부적인 둔감함을 선보이거나 연기해야 할 적시임을 직감하였다. 스스로 미래의 부모 된 자격을 저버리면서였다. 그리고 틀림없이 정언에게서 사과받을 마지막 기회마저 포기하면서였다.

"그래? 통계적으로는 영점 영영영일에도 미치지 못하는 확률이겠지만……, 막상 그 일을 당한 우리에게는 완벽하게 일백 퍼센트의 현실이었던 거지!"

코로나19 덕분인지 최근 들어서 십만 명당 열 명을 훨씬 밑도는 연간 교통사고 사망자 수를 기록하고 있다는 요지의 관련 기사는 이담도 잊지 않고 있었다. 그렇다면 확률상으로 인구수 오천만을 넘긴 이 나라에서 대충 이천오백만분의 일로 맺어진 정언과의 결혼도 사실은 백 퍼센트의 운명은 아니었을까? 그것이 희박한 확률이든 완벽한 운명이든 이담은 자신의 선택에 별다른 불만이나 불신이 없는 삶을 살아왔었다. 정언은 결혼 전과 다름없이 이담이 둔감하다고 자인한 성향을 스스럼없이 받아들여 주었다. 편할 것도 같다는 이담으로 인하여 민감한 정언 자신이 더는 힘들어하지 않아도 된다는 마음에서였을까?

"자기야! 미안해! 당신이 어젯밤 얘기한 대로 낮에 미래가 혼자 깨서 막 뒤집기를 하다가 하마터면 소파에서 떨어질 뻔했었잖아? 이제부터는 정말 아무 데서나 자게 내버려 둬서는 안 될 거 같아. 어쨌든 알려줘서 고마워!"

"나에게 고맙다고 할 게 아니라……, 큰일 날 뻔한 우리 미래한테 정말 미안해하면서 더 조심하면 되는 거겠지, 뭐!"

그일 이전에도 엎어 놓아야만 깊게, 그리고 오래 잠드는 미래를 어쩌지 못해 그래도 두상은 예쁘게 나올 거라며 변명하는 이담을 배려해 준 사람은 정언이었다. 일을 쉬면서까지 육아에 전념하고 있는 이담의 처지를 생각해서 질식사의 위험이 따르는 푹신한 베개 대신 일명 짱구베개를 사 들고 온 것이다. 미래가 커가면서 유난히 시각적인 자극에만 민감하게 반응한다며 청력을 한번 정밀하게 검사해 보는 것은 어떻겠느냐고 제안한 당사자도 이담이 아닌 정언이었다. 뜻밖에도 신도심의 이비인후과에까지 이르러 양쪽 귀 모두를 단단히 틀어막고 있던 딱딱하게 말라버린 배내똥을 빼내면서 엄마인 이담은 철철 눈물을 흘리지 않을 수 없었다. 귀가 뚫리게 되자 갑자기 밀려드는 세상 온갖 소음에 소스라쳐 경기로 저항할 뿐 제대로 울지도 못하는 연약한 생명에게 한없이 죄스러웠다. 그러면서도 한 남자의 아내로서 그만큼이나 크나큰 경이와 감사를 금할 수 없었다.

미래의 양육과 관련하여서만 돌이켜보아도 이렇듯 이담은 미안해!와 고마워!를 입버릇처럼 올리며 살아야 했다. 엄마가 되었든 아내가 되었든 한 여성으로서의, 나아가 한 인간으로서의 자존감 따위는 절대 우선할 바가 아니었다. 그것이야말로 진정한 사과와 감사의 자세라고 믿었기 때문이었다. 정언 역시 그렇게 생각해 주리라는 믿음이 있었다. 아주 흔하디흔하거나 매우 희박한 확률이거나 간에 사고가 일어나기 전까지만 해도 그러려고 하였다.

"여보! 저 라텍스 공이 청각적으로나 촉각적으로나 우리 미래의 감각 발달에 좋은 자극이 되는 건 어느 정도 사실이겠지만……, 입으로까지 물게도 하는 건 좀 아닌 거 같잖아?"

다만, 그렇다고 해서 스스로 의아스러웠던 적이 단 한 차례도 없었던 것은 아니었다. 이상하게도 그날따라 이담은 미안하다거나 고맙다고 말해야 할 근거도 이유도 찾을 수가 없었다.

"매일매일 항균 티슈로 닦은 후에 수돗물 틀어놓고 꼼꼼하게 세척도 하고 그러는데……, 미래가 어지간히나 좋아해야 말이지? 끓는 물로 소독까지 하자니 환경호르몬은 더 무서울 것도 같고…….
당신은 어떻게 하면 좋겠어?"

다른 때 같았다면 유용한 해결책이라도 일러주려 고심했을 정언이었다. 하지만, 그게 그렇게나 우리 미래한텐 편하단 말이지? 하며 그냥 넘어가 주었다. 그때 이담은 진작에 정언이 자신을 장난감 공

같다고 평했던 일이 떠올랐다. 자신은 누르면 누르는 만큼 얼마든지 그 압력을 감내해야 하는 말랑말랑한 공 같은 존재인 걸까? 그게 그리도 즐겁다고 삑삑 소리까지 내지르면서 말이다. 그건 당연히 절대 고통스러워서 질러대는 혼자만의 신음일 수는 없었다. 그렇다고 해서 날카로운 자극을 최대한 깊숙이 품어 안아줄 줄 알고서 정언이 편할 것도 같다 말했던 건 아닐 터였다. 언젠가는 그 공이 예리한 촉 끝에 무참히 찢길 수도 있다는 이치를 모를 리가 없는 사람 아닌가?

이담은 문득 자신이 집을 비운 지나간 여름, 어딘가에 처박아 두었던 베개고 공이고 전부 삭아 문드러지지는 않았을까가 궁금해졌다. 찬 기운이 싹 다 가셔버린 자신의 물컵을 바라보면서였다.

*

감자탕집을 나와 조붓한 인도를 함께 걸으며 이담은 자신의 발걸음이 어디로 향해야 할지 대중할 수 없었다.

원칙적으로는 이 자리에서 다시 택시를 잡아타는 것이 가장 적절한 처신일 것이다. 아참! 그러기에는 혹시 아까처럼 카드라도……? 잠시 정언의 동행을 감수하며 정류장까지 걸어가 꼭 1024번 말고 아무 시내버스에나 올라타는 방법도 있었다. 하지만, 그러려면 그 자리를 지나쳐야만 할 텐데……! 차라리 그걸 피하기 위해서는 진절머리를 무릅쓰고 오랜만에 옛집에라도 들러야 할까? 남겨두고 나온 제 짐을 챙겨야 한다는 핑계는 아직 유효했다. 그러나 막상 그럴 만한 가치나 필요가 있을까? 실마리는 언제나처럼 정언이 먼저 잡아주었다. 동시에 풀기 어려운 뭉치 전부를 떠넘기면서였다.

"우리 미래 물건은 내가 다 정리해서 큰 박스 하나로 포장을 해 놓았어! 곧 집을 넘겨야 할지도 모르니까……."

아직 할 얘기가 좀 남았다면서 때마침 가까워진 총각네 커피하우스로 앞장서 들어가 복숭아 아이스티를 시켜놓고 정언이 꺼낸 말이었다. 행로도 주문도 잠시 머뭇거리던 이담은 차가운 아메리카노 대신에 카푸치노를 선택했다. 계절도 분위기도 그러는 게 서로 맞을 것 같았다.

"빌라를 정리할 거라고? 쓸데도 없는 내 짐이라면 또 모르겠는데……, 미래 거를 그러면서까지 굳이 그럴 까닭이 있을까?"

정언이 재개발 가능성을 내다보고 결혼 전 다소 무리를 해서 입주한 빌라였다. 이담의 지분이나 의사와는 상관도 없는 매입이었으니 집을 처분하는 것도 정언이 알아서 할 일인 것이다. 그런데 아마도 어렵사리 미래의 짐을 정리했을 거면서 왜 자기 마음의 짐까지는 털어내지 못하고 있는 걸까?

"당신 짐은 시간이 되는 대로 정리가 되면 택배로 부치든지……. 아니다! 언제라도 시청 앞으로 나오게 되면 내가 직접 실어다 줄게. 그러니 오늘 당장은 들르지 않아도 괜찮을 거야."

내가 그렇게나 그 집으로 다시 들어가기 싫어한다는 심정을 헤아려 주면서도 그것보다 더 중대한 사실은 왜 모르는 걸까? 아니, 왜 애써 모르는 척하고 있는 걸까? 이담은 예전 버릇대로 미안이라는 말을 덧붙이지 않으면서도 자신의 결심을 다시 한번 확실히 하기 위해 잠시 호흡을 가다듬어야 했다.

"그깟 짐은 아무래도 됐다니까……. 그보다도 정언 씨, 나는 이제 미래를 이대로 보내줄 거야! 그러니까 당신하고 함께 예전처럼 시청이고 어디고 찾아다니면서 그 사람들에게 절대 하지도 않을 사과를 구걸하는 일 따위는 더 이상 하지 않을 거라고! 뭐, 그동안에도 당신한테 비하면 반의반에도 훨씬 미치지 못했겠지만……."

그건 솔직한 마음이었고 틀림없는 사실이었다. 정언의 옆에서 말없이 서 있기만 했을 뿐 이담은 처음부터 적극적으로 나설 수가 없었다. 그것도 집을 뛰쳐나온 뒤부터는 단 한 차례도 시위에 동참하지 않았다. 그런데 왜 정언은 지금도, 그리고 앞으로도 이담이 자신과 함께 행동하는 것처럼 말하고 있는 걸까? 초여름부터 시작해서 계절이 바뀐 지금까지 월요일이면 빠짐없이 시장의 출근 시간에 맞추어 청사 정문 앞에서 피켓을 들고 서 있는 것은 자기 혼자뿐이면서. 그런다고 미래가 살아서 돌아오지 않는다는 것을 잘 알고 있으면서. 아무리 그렇게 해도 스스로 내리누르고 있는 마음이 조금도 가벼워지지 않을 거면서. 결국에는, 그것으로 미안하다는 그 말 한마디를 절대 대신할 수는 없는 노릇이면서…….

"어떤 식으로든 책임을 물어야겠어! 그게 법률적이든 행정적이든, 아니면 최소한 도의적이든……."

어쨌거나 사고 처리가 일단락되었다고 믿고 싶을 즈음에 정언이 불쑥 꺼낸 말이었다. 이담은 애당초 그 의미를 정확하게 알아듣지 못하였다. 그전에는 우리 두 사람에게 미래의 죽음이 경험해 보지 못한 전혀 새로운 시작은 아닐 거라는 믿음이 있었다. 정언과의 맺어짐에서부터 지금까지 너무나 익숙해져 있던 흐름의 어떤 귀결처럼 여겨진 것이었다. 그러나 그 익숙한 귀결을 정언이 몹시도 거부하고 싶어 한다고 깨닫게 되었다. 새로운 시작을 거부하거나 받아들이거나 할 준비가 되어 있지 않으면서도 그런다는 혐의가 농후했다. 지금도 미래의 짐은 다 정리를 끝마쳤다면서도 이담을 위해서는 그러지 못하고 있는 것 모양으로.

"당신이……, 그러니까 보호자가 현장에 같이 있었기 때문에 우리 측 과실도 없는 게 아니라고 나왔다면서? 합의까지 해준 마당에 뭘 더 어떻게 책임을 지우겠다는 거야? 그 트럭 운전사도 그리 넉넉지 않은 형편이라더니?"

"물론 힘없는 가해자 개인에게까지 계속해서 그러겠다는 건 아냐! 그것보다는 좀 더 거대하고 책임이 무거운 이 사회의 작동 시스템 같은 것을 겨냥해서 적어도 진심 어린 사과라도 받아내겠다는 거지! 그러는 과정에서 아주 자그마한 개선이라도 이루어지면 그래도 우리 미래의 희생이 어느 정도까지는……."

*

기어이 이담은 미래가 마지막으로 가녀린 숨결을 모아 거두었을 지점을 통과하여야 했다.

찻집을 나오자마자 택시를 잡아줄 테니 타고 가라며 만일에 대비해서 자기의 체크카드를 건네려던 정언의 제안을 단호히 거절했기 때문이었다. 이제는 엄연히 남남이 된 처지에서 호의도 재회의 가능성도 적절하지 않은 것이다. 게다가 엄마도 좋아하는 치킨마요를 직접 사 오겠다더니 끝내 들르지 못한 프랜차이즈 밥버거 집은,

내부수리중! 죄송합니다, 썰렁하니 불이 꺼져 있었다.

"…… 쏘 트룰리 쏘리, 써!"

보행자가 제멋대로 차도를 넘나드는 것을 막기 위함인지 회양목인 듯싶은 수종을 촘촘히 심어놓아 인도는 한층 비좁아져 있었다. 아마도 정언이 꾸준하게 피켓 시위를 벌인 결과일 것이다. 이담은 차도에서부터 최대한 멀리 떨어져서 앞질러 나가려다가 재래식 보도블록에 그만 발이 걸려 동남아시아 사람인 듯한 젊은 남자와 부딪칠 뻔하였다. 뒤따라오던 정언이 자신의 실수이기라도 한 듯 먼저 나서서 사과하였다. 앞에 아임이라고 했는지 위아라고 했는지는 듣지 못했지만 분명 정중한 사과였다. 설령 상대가 일본인이나 중국인이었더라도 충분히 그 나라 말로 그렇게 했을 정언이었다. 대답인지 질문인지 모를 억양으로 남자가 괜찮아요, 하며 무표정하게 지나쳤어도 개의치 않은 태도처럼.

I'm terribly sorry! But……

동유럽 신혼여행에서 정언이 고맙다는 말만큼이나 자주 발음하던 문장이었다. 특정 단어 하나에 가뜩이나 힘을 주어 그렇게 했다. 하도 자주 듣다 보니 이담은 미안하면 그걸로 됐지, 뭐 그렇게 공포스럴 것까지는 없지 않으냐고 놀려주기까지 했다. 어! 그게 그런가, 하며 전혀 의식하고 있지 못했다는 듯이 그때 정언은 웃어넘겼었다. 그런데 지금 정언은 진짜 끔찍하게도 두려운 모양이었다. 사고 당시에 비해 한결 침착하고 차분해진 겉모습과는 정반대로 안으로는 온갖 것에 대한 공포를 가득가득 담아놓고 있을 터였다.

그중에서 가장 큰 공포가 바로 이담에게 미안하다고 말하는 것일 거였다. 어쩌면, 결코 그럴 수는 없는 자신에게 극심한 두려움을 안고 있는지도 모를 일이었다. 이담은 처음 맞상대 때처럼 정언에게 일방적인 사과를 바라고 있는 것이 아니었다. 꼭 그래 주어야만 하겠다고 필요성을 절감하고 있는 것은 더더욱 아니었다. 다만, 정언 스스로가 그렇게나 하고 싶어 한다면 속 시원히 미안하다는 그 말 한마디를 내뱉으라는 것이었다. 그러고 난 뒤에 이담에게서 이루 헤아릴 수도 없는 미안해!를 끄집어내서 그걸 보상으로 삼든 앙갚음으로 여기든 하라는 것이었다. 그것이 이제까지 이담과 정언 두 사람 관계의 진정한 귀결이자 새로운 시작인 까닭이었다.

"왜 인정들을 않는 걸까? 미안하다는 그 말 한마디가 그렇게나 하기 어렵다는 심리는 과연 어떤 것일까?"

정언은 이담과도, 그리고 미래와도 평소 낯이 익었던 과일 트럭 행상이 사과만 한다면 기존의 합의고 뭐고 전부 용서해 줄 기세였다. 제가 먹고사는 일에 마음이 급하다 보니까 뜻밖에도 굵직한 가로수 사잇길을 걷고 있던 아이가 갑자기 트럭 앞으로 달려드는 걸 그만 보지 못했습니다. 사실 보호자의 손을 놓친 그 애기는 몸집이 너무 작았고, 저는 평소 장사가 잘되는 좋은 목으로 먼저 자리를 잡아야 했기 때문이죠. 아무튼 저로서는 참으로……. 차마 다하지 못한 말은 그래서 미안하다기보다는 억울하다는 뉘앙스였다.

멀쩡하던 아이가 재잘재잘 제 아빠 손끝에 매달려 평소 좋아하던 버릇대로 연석 위로만 골라 걷다가 갑자기 어지럽다며 중심을 잃고 도로로까지 나뒹굴게 된 까닭이 다른 데에 있을 것이라면서도 정언은 오직 사과만을 원했다. 그러나 영아 때 받았다는 간단한 처치로는 몇 년이나 지나서 극심한 현기증을 동반하는 전정기관의 이상이 발생할 확률은 매우 희박하다는 이비인후과적 소견뿐이었다. 안타까운 위로의 말과 함께 조곤조곤 정중히 설명해 주면서도 인상 좋아 보이던 원장은 불편한 기색을 굳이 감추려 하지 않았다.

그나마 자칭 백만 시민의 공복이라는 신임 시장이 보여준 반응이 덜 미온적이었다. 바쁜 출근길임에도 차를 멈춰 세우고 한창 피켓 시위를 벌이고 있던 정언과 이담의 두 손을 잡아주고 잠시나마 이야기도 들어준 것이다. 심심한 위로와 유감의 말씀뿐만이 아니었다. 다음번 시위 때는 비록 지역 언론사의 카메라 앞에서이기는 했지만, 차후 우리 시 관내에서의 어린이 교통사고를 획기적으로 방지할 수 있는 최대한의 행정적인 조치를 약속하기도 하였다. 명백하지도 않은 법률적인 과실 여부를 떠나서 그러는 것이 책임 있는 공직자로서의 마땅한 자세라는 마무리 코멘트도 빼놓질 않았다. 이담이 이 동네를 떠나기 직전에 목격한 신호등 설치와 바로 오늘 변화를 감지한 가로수 정비 같은 것들이 시장이 말한 최대한의 행정적인 조치일 것이다.

하지만 법률적인 차원을 떠난 선제적인 예방 행정 구현에도 정언은 만족하지 못하였다. 내리 삼선째의 마지막 임기였던 전임 시장이나 마찬가지로 최소한의 도의적인 책임과 공감 의식이 전혀 보이질 않는다는 것이었다. 달콤하기 그지없는 권력 유지의 수단인 표만을 의식하고 장기적인 집권까지 내다보려는 미봉책에 불과하다는 것이었다. 이담은, 그러하다면 정언이 질 수 있는 책임은 과연 어떤 성질의 것인지 묻고 싶었다. 그것이 이미 잃어버린 미래를 위한 것인지, 더는 잃기 싫은 자신을 위한 것인지 궁금했다. 이 모든 게 정언 스스로를 위한 몸부림이 아니었으면 하는 절실한 바람에서 그러고 싶었다.

*

이담의 현실적 바람대로 1024번 버스는 때맞추어 진입 중이었다.

카드는 정상적으로 인식이 되었다. 그걸 지켜보느라 정언은 한동안 움직이지 않았다. 여기 네거리 정류장이 차고지에서 멀지 않은 관계로 이담은 운전석 바로 뒤쪽에 쉽사리 자리를 잡을 수 있었다. 차가 곧바로 신호에 걸려 창밖을 내다보니 어느새 횡단보도를 지나가며 정언이 마스크를 벗어 쥔 채 손을 흔들어 주었다. 조심해서 가라는 뜻이거나 전화하겠다는 뜻일 것이었다. 이담의 바람과는 달리 끝내 미안하다는 속마음을 털어내지 못한 것이다. 이담은 이것이 정언을 마지막으로 보는 기회라는 판단과 매우 현실적으로 직면하여야 했다.

"당신이 정 시위에 나가기 어렵다면은……, 우리 우선 이혼 신청을 하고서……, 차근차근 생각을 해보는 건 어떨까?"

"그건……, 서류상으로 신청만 하자는 거야? 진짜로 이혼까지 하자는 거야? 정말 미안하지만, 아니 그냥 난 잘 알아듣지 못하겠어!"

자신이 결코 미안하다고 말하지 못할 것을 깨닫고서, 아니 더는 이담이 미안하다고 말하지 않을 것을 알고서 먼저 이혼을 제안한 사람은 정언이었다. 이담은 언제나 제 깜냥껏은 현실적으로 사고하는 편이었다. 요즘 소설이나 영화에 흔히 나오는 대로 나지막한 남자의 음성이 매우 몽환적으로 울려온다든지, 그 느릿느릿한 말투만큼이나 그날이 성미 급했던 이상고온으로 맥이 탁 풀려버린 날이었다든지, 혹은 그런 말을 언젠가 들어본 적이 있었던 것 같은 기시감이 강하게 들었다든지 하는 클리셰들에 어색했다. 행복에 겨운 두 남녀 사이에서마저 감지하기 어려운 미세한 실금들이 서서히 번져나가다가 느닷없는 파경으로 치닫는 극적인 결말도 비현실적이기만 했다.

"미래가 그렇게 된 것은 인제 누구의 책임도 아니라고 생각해! 그래도 그게 그렇게나 인정하기 힘들다면……, 딱 한 번만 나에게 미안하다고 말해주면 안 될까? 나는 미래가 없는 앞으로도 당신에게 미안이라는 말을 달고 살아야 할지도 모르는데……."

"그래, 모두 다 맞는 말이야! 그래도 일단은 이혼부터 하고서 천천히 생각해 보자니까……."

버스는 왕복 4차로의 이 도로를 최대한 천천히 통과해야만 하는 것인 양 좀처럼 속도를 높이지 못하고 있었다. 곳곳에서 점멸하는 황색 신호등 때문이거나 개방적인 시각상의 착각 때문이거나일 것이다. 그러는 사이 정언은 벌써 다행빌라 3층까지 올라가서 이담의 짐 정리를 시작했을는지도 모른다. 이담도 곧 지하철 환승까지 포함해서 얼마의 시간이 소요되더라도 바다가 보이는 혼자만의 공간으로 돌아갈 수 있을 것이다. 그런데 그게 그렇게나 아득하게…… 그래, 비현실을 넘어 초현실적으로 느껴질 수가 없었다.

이번에는 지역 민방의 시사 프로그램 덕택에 가까스로 정신을 차릴 수 있었다. 시내버스의 천장에 매립된 스피커에서 들려오는 왠지 귀에 익은 듯한 목소리와 선연한 논리 탓인지도 모를 일이었다. 저것도 손 안 대고 코 풀겠다는 심보나 매한가지겠지! 정언은 감자탕 전문점에서 그렇게 덧붙였었다. 바로 그랬다. 그게 현란한 수사의 일개 시장이든 심지어는 일국의 대통령이든……. 저 소리에 비하자면 오롯이 자기 책임이면서도 끝까지 진솔한 사과의 말을 꺼내지 못한 정언의 실체가 한결 현실적이었다.

…… 이로써 우리 백만 시민을 섬기며 오로지 봉사하고 헌신하여야 마땅할 클린 시정을 책임지고 있는 공복으로서 이번 자체 감사 결과 밝혀진 광범위한 도시철도 건설 관련 비리를 앞에 놓고서 저는 무어라 사죄의 말씀을 아뢰어야 할지 실로 참담한 심정을 금할 길이 없습니다. 비록 장기간의 전임 시장 재임 시 고착화, 고질화하여 권력을 사유화한 극히 일부의 부정한 세력에 의해 자행된 일이라고는 하지만 시정의 연속성과 책임의 무한성이라는 대의적인 차원에서 현 시장으로서도 심심한 사과의 말씀을 드리지 않을 수 없는 것입니다. 아울러 다시는 이런 어처구니가 없는 비리가 저질러지지 않도록 사정당국에 신속한 고발 조처 등 일벌백계의 엄중한 처벌과 철저하고도 빈틈없는 방지책 마련을 존경하여 마지않는 우리 청해 시민들께 다짐하면서 다시 한번 깊숙이 머리 숙여 송구하다는 말씀을 감히 올립니다. 여러분! 대단히 감사합니다. 아, 아니 ……

메기의 추억*

"용순이는 또 어딜 간 거야?"

점심시간 뒤 첫 수업인 5교시의 시작은 늘 어수선하였다. 특히나 2학년 농업반의 경우 들뜬 분위기를 바로잡고 수업에 집중하게 하는 것은 최대의 난제였다. 그럴 때 꺼내 들 수 있는 카드가 그나마 꼼꼼한 출석 확인 말고는 별수가 없었던 나는 이 학교가 초임지인 일 년 차 풋내기 임시교사였다.

"메기 잡으러 갔대유!"

"메기를 잡으러 가다니 그게 무슨 소리야?"

명색이 국어 교사로서 '메기를 잡다'라는 관용적 표현의 뜻을 모를 리가 없는 나로서도 정확한 의미를 파악하기에는 상황이 다소 애매하긴 했다. 2학기가 시작된 지 한 달 가까이 지난 구월 하순이니 물에 들어가 몸을 흠뻑 적셔가며 헤엄을 치기에는 많이 늦은 시기였기 때문이었다. 하지만 그 주체가 용순이라면 혹시……, 확신이 잘 서질 않았다.

---

*원문 출전은 이주훤, 나의 리즈 시절?, 賢苑현원(○○여대 교지), 2016.

"아, 글쎄 메기 잡으러 갔대니께유!"

번갈아 가며 걸쭉한 동어반복으로 대꾸하는 녀석들 틈에서 "물레방아 소리 들린다, 매기!" 노랫소리마저 흘러나오자 다시 교실은 완전히 통제 불능의 상태로 빠져들어 갔다. 능글능글 미소를 짓거나 과장된 몸짓으로 손뼉을 쳐대는 남학생들 사이에서 입을 가리고 소리를 죽여가며 킥킥거리는 몇 안 되는 여학생들까지, 상황은 그야말로 점입가경이었다. 분위기를 진정시켜야 할 나까지 얼굴을 붉혀가며 대혼돈의 소용돌이 속으로 휘말려 들어가고 있었다.

아이들은 언제나 그랬다. 나보다 한발 앞선 상상력으로 자기들만의 울타리를 두르고 그 안에서 흥겨운 놀이를 펼치기 좋아하였다. 지금도 순식간에 메기에서 물레방아로 비약하며 나를 지난주에 있었던 수업의 굴레로 유인하는 일탈을 즐기고 있는 것이었다.

"선생님, 대관절 물레방앗간에서는 뭔 짓거리를 했길래 그려유?"

그날 허 생원과 성 서방네 처녀가 딱 하룻밤의 인연을 맺는 낭만적이면서 은유적인 장면에서 느닷없는 질문을 해 온 것은 용순이였다. 문학 수업의 암묵적 금기라고나 할 내용을 물어오는 까까머리 녀석의 이마에는 또래 남학생들에게서 볼 수 있는 특유의 번드르르한 개기름 기가 조금도 없었다. 전혀 예기치 못했던 질문에 열은 졸음에서 깨어나 술렁대는 아이들과, 그 아이들 앞에서 얼굴이 상기된 채 적당히 둘러댈 단어를 고민 중인 나를 앞질러 자랑스럽게 "뚝방치기도 몰러? 이 등신아!" 친절히 일러주는 녀석이 있었다. 오늘 물레방아 어쩌고 하는 노래로 분위기를 완전히 망쳐버린 석규였다. 마치 여러 마리의 암사자를 거느린 노회한 수사자 모양 의기양양한 석규의 한 마디에 다들 주눅이 들었는지 아이들은 잠잠해져 갔다. 그런데 질문의 당사자인 용순이만은 요지부동이었다.

"나 참, 누가 등신인지 모르겄네? 글구 누가 지한테 물었는감? 선생님, 그날 밤 물레방앗간에서 도대체 뭔 일이 있었던 거여유?"

연달아 두 사람을 겨냥한 용순의 질문에 석규는 잔뜩 움츠러들어 침묵으로 일관했다. 나 역시 난감함으로 인하여 입을 열지 못하는 가운데 늘 그렇듯이 갈구하던 벨 소리에 수업은 흐지부지 끝이 났었더랬다. 내가 용순이에게 제대로 대답하지 못한 이유야 그렇다 쳐도, 예상 밖일 수도 있는 석규의 침묵에는 다소 복잡한 사연이 있음을 학생과 소속의 생활지도 담당 계원인 나는 모르려야 모를 수가 없었다.

*

학년을 불문하고 우두머리 행세를 하며 실제로 여학생들이나 심지어는 동네 처녀들과도 그 '뚝방치기'를 즐긴다는 자랑과 부러움이 넘쳐나는 복학생 석규였다. 그런 석규와, 또래들 사이에서 다소 모자란 별종으로 치부되던 용순이의 충돌이 있었던 것은 여름방학 바로 전날이었다. 학생들이 일찌감치 하교하고 교사들도 개학을 기약하는 인사와 함께 대부분은 퇴근을 해버린 정오를 몇 분 앞둔 시점. 입 주변이 온통 피투성이가 된 채 석규가 교무실로 들이닥쳤다. 그 뒤를 쫓아 들어온 것은 놀랍게도 용순이였다.

"왜 끝까장 붙어보지, 비겁하게 교무실로 내빼냐?"

일반적인 예상과는 달리 공세와 수세가 너무도 확연한 상황에 아직 자리를 지키고 있던 학생주임과 나는 순간 멈칫할 수밖에 없었다.

"니가 증말로 야를 이렇게 팬 겨? 어떻게 팬 겨?"

베테랑인 학생주임의 풍부한 경력에서 우러나오는 사건의 정황 확인과 이어지는 원인 파악이 초보자인 나를 여러 발 앞질렀다.

"뭐가 지 맘에 안 든다며 학교 끝나고 남으라고 하더만 다짜고짜 먼저 주먹질이지 뭐여유? 그래서 나두 한정 없이는 참덜 못하구 그만……."

"환장하겄네! 그럼 그렇지. 근디 용순이 너는 왜 이렇게 멀쩡혀? 좌우지간, 최석규! 왜 그런 겨?"

정확히 어디를 어떻게 맞았는지 사건의 피해자 겸 피의자인 석규는 고통스러워하기만 할 뿐 입을 열지 못하였다. 아니, 전혀 예상치 못했던 용순이의 반격에 속수무책 당하기만 했다는 우두머리로서의 자존심을 다친 마음의 상처가 입을 여는 것을 거부하고 있는 것 같았다.

"어이, 이 선생! 석규 쟈가 이빨이 쬐끔 나간 거 같어. 내가 용순이 엄니한테 전화해서 치료비나 쫌 물어 주라고 할 테니께, 이 선생이 마침 요번 방학에 보충수업도 있고 하니까 이 일 좀 잘 마무리 햐! 석규 아버지한테도 지금 퇴근하다가 들러서 내가 잘 알아듣게 얘기해 놓을 텐께."

역시 베테랑은 사건의 처리에서도 풍부한 경험을 발휘하는 듯싶었다. 초보자가 냉큼 대꾸를 하지 못하고 머뭇대자 명쾌한 교육자적 방침이 하달되었다.

"애들끼리 투닥거린 거 뭐 징계네 처벌이네 할 건 아니구. 마침 방학 시작하자마자 여러 사람 나오라 마라 하는 것두 고연히 안 존 소리나 듣지 뭐!"

비록 임시에 초임이지만 내가 보는 시각에서도 이 학교는 매사가 이 모양이었다. 제대로 되는 일도, 그렇다고 안 되는 일도 없었다. 명색이 면 단위 지역에서는 가장 큰 공공기관이라는 자부심? 총 열두 학급 규모의 남녀공학 사립 종합고등학교는 그러면서도 꾸역꾸역 굴러가고 있었다. 십 년 전엔가는 서울의 명문대, 그것도 의대 합격생을 배출하기도 했었다는 자부와 긍지가 도무지 믿기질 않았다.

그런 분위기 속에서 방학이면 인근 도시로 나가 모종의 부업으로 더 바빠진다는 체육과 교련 담당의 학생주임이 내린 대리 업무 지시를 거부하는 것은 영 불가능했다. 이렇듯 나는 가해자와 피해자가 애매모호해진 폭행 사건의 합의를 중재하는 심대한 조정역을 떠맡게 되었다.

"한 동리서 모르는 사이도 아니구, 용순이 엄니가 우리 석규 치료비만 물어 주시문 애들끼리 장난치다 다친 걸루 하구 기냥 넘어갈려구요. 천만다행으루다 이빨이 두 개 흔들리는 정도라니께 딱 그 경비만 받을뀨!"

마치 선심을 베푸는 듯하면서도 아들의 상처 입은 자존심까지 보살피는 자상한 아버지의 역할에 조금도 소홀하지 않은 뚝방매운탕집 사장님. 그래도 아들보다야 낫겠지만 첫인상으로도 약간은 부족해 보이는 티피컬한 촌부인 용순이 어머니는 애당초 그에게 상대가 되질 않았다.

"지발 덕분으루 너그럽게 이해해 주시구유……. 지가 치료비는 어떻게 해서라도 마련을 해 드릴 테니께 며칠만 말미를 주세유."

"뭐, 그러셔유! 돈다발 들고 이웃지간에 왕래하는 것두 보기 숭하니께 우리 선생님한테 맡겨 놓으시문, 서로 간에 증명도 되고 좋겄네유. 기쥬?"

이왕 말은 김에 그래도 자초지종을 따져서 좀 더 합리적인 중재안을 내놓으려던, 나름 정의감으로 무장한 나도 세상을 온몸으로 부딪치며 살아왔을 석규 아버지의 상대가 될 수는 없었다. 바로 이들을 평생 심성에 때 묻히지 않는 시골 사람이라고 언젠가부터 다져온 고정관념이, 그리고 거대한 산업자본과 탐욕적인 외세에 수탈당하는 이 땅의 가장 대표적인 기층민중이라고 학습한 계급 의식이 이곳에 와서 번번이 무너지는 상황을 접하면서 경악스러워하던 나는 또 속절없이 당하고야 만 것이었다.

부모들은 그렇다 쳐도 아이들마저도 나의 이런 순진한 인식을 여지없이 깨뜨려 주는 데에 거침이 없었다. 주로 인근 대도시에서 고등학교 진학에 실패한 장거리 통학생이나 유학생들로 구성된 인문반에 비해, 이 지역 출신의 학생들이 주류를 이루는 농업반이나 상업반 아이들이 더 거칠고 심지어는 더 교활한 행태를 보이고 있었다. 그럴 때마다 나는 처음에는 혼란스러웠고 나중에는 실망하게 되었으며 결국에는 그들을 스스럼없이 대하기가 어렵게 되었다. 석규가 그런 아이들을 대표하는 전형이라면 용순이는 또 다른 차원에서 나를 성가시게 하는 존재였다.

*

내려가는 물세를 따라 시선을 보내는 모양으로 그 머리의 뒤통수가 뒤로 차침차침 제쳐져 올라가는가 하였더니, 별안간 허리를 펴고 물에 꽂힌 작대기를 잡아 빼어 드는 동시에, 그는 물을 따라 뛰어 내려가기 시작하였다. 뛰면서도 시선은 항상 노려보던 물 가운데에 쏠리어 있는 것을 보고야, 비로소 그 전체의 의미를 나는 대개 짐작할 수가 있었다. 그는 아마 한 간통이나 이렇게 해서 뛰어 내려가다가 다시 허리를 꾸부리는 물속을 열심히 응시(凝視)하던 끝에 그제야 들었던 작대기를 자기 자신의 시선이 몰리인 물을 향하여 힘껏 던지었다. "찰그닥" 하는 소리는 이 때에 난 것이 분명하였다. 그리고는 작대기에다가 전신의 힘을 집중하여 내리누르고 이리저리 부비대었다. 동시에 그의 희끄무레한 사루마다를 두른 궁둥이가, 영화에서 보는 남양 토인의 춤처럼 몇 번인가 좌우로 이질거리었다.

허준, <殘燈잔등>.

"장춘서 회령까지 스무 하루를 두고 온 여정이었다."

이렇게 시작하며 해방 직후의 귀환 실태를 낱낱이 그려가는 이 중편에서 의외로 뇌리에 남는 대목이 있었다. 만주에서 서울에 이르는 지리멸렬한 여정 가운데 유독 활기가 넘치는 장면이라 그런 건가? 패잔 일인들에게 너그러이 온정의 손길을 내미는 국밥집 노파의 휴머니즘과는 사뭇 다른 세계관을 바탕으로 해서 더 그럴지도……. 삼지창에 찔려 대가리가 으깨어진 뱀장어를 모랫벌에 내팽개쳐서 완전히 숨을 끊어놓은 연후에 억류 일본인에게 팔아먹는 아직은 구태의 소년. 한편으론, 죽었던 송장이 벌떡 일어날지도 모른다는 인민위원회 김 선생의 부추김대로 야반도주하는 그들을 신고하는데 앞장서는 새로운 시대의 소년.

보수적인 성향의 출판사에서마저 해금 무드를 타고 출간을 감행한 열 권짜리 월북작가 선집. 설레는 마음으로 손에 쥔 연후에 그간 내연하던 풍문에 비해서는 막상 떨림이 부족하다는 아쉬움으로 마지막 권에 이르렀을 때 만난 작품이었다. 우선은 보기 드물게 해방 공간을, 그것도 북쪽의 상황을 사실적으로 그리고 있어서 눈길이 갔다. 아니, 그보다는 내가 그나마 세상 물을 좀 먹게 되었다고 어느새 뱀장어와 송장의 무게를 섣불리 가늠할 수 없어서 그랬는지도 몰랐다. 이 좁아터진 학교만 보아도 그렇다. 누가 뱀장어이고 뭐가 송장일까? 또 그렇다고 하면, 순순히 내가 그 뱀장어요, 이게 바로 송장이요 할 것인가? 그리고, 그러는 나는 과연 무엇이란 말인가? 그래서 그 첫해 여름은 유난히 길고도 무더웠더랬다.

그런데, 도저히 삶의 무게를 가늠할 수 없는 용순이까지 도대체 왜……?

*

"선생님, 이거는 지가 너무 죄송하고 감사해서 드리는 것이니께, 나중에 학생주임 선생님하구 우리 용순이 담임선생님하구 드리셔유.

글구 하나는 선생님 꺼구만유."

닷새만인가 신문지에 둘둘 말린 합의금을 들고 온 용순이 어머니가 교무실을 나서기 직전 수줍게, 그러나 신속하게 뭉치 하나를 더 들이밀며 꺼낸 말이었다. 그간 혼자 몸으로 용순이를 키우기 위해 속을 끓여온 이야기며, 남보다 부족한 용순이를 위해 새벽 기도에 불공에 치성에 굿까지 안 해본 것이 없다는 넋두리에 잠깐 방심했었나? 나는 없는 살림에 무리해서 촌지까지 마련해 온 것으로 지레짐작하고 완강히 손사래를 치며 이미 책상 위에 놓여 있던 것을 급하게 집어 들었다.

"그거는 선생님이 생각하시는 그런 게 아니구유, 순전히 지 마음만 담아서 드리는 것이니께 기냥 거따 두셔유."

용순이 어머니의 말마따나 그것은 장방형의 돈뭉치가 아니라 입체감이 있는 내용물 몇 개인지를 여러 겹 감싼 둥글고 딱딱한 느낌의 덩어리에 불과하였다. 무안한 마음과 궁금증이 한꺼번에 나를 재촉하여 용순이 어머니가 교무실을 나가자마자 풀어본 뭉치 안에는 정확히 박카스 세 병이 겉면에 이슬이 맺혀 흐른 채 들어있었다. 학생주임, 담임선생, 그리고 나! 시골 아낙네의 정확한 셈법에 경탄 아닌 경탄을 금치 못하며 아직 냉기가 남아 있는 병 하나를 따서 그 '마음만'을 음미하며 천천히 마시고는 부탁대로 두 개는 남겨두었다.

뒤늦은 사족으로, 개학 후 그래도 잊지 않고 원만히 처리된 사건에 대한 사의를 표하기 위해 멀리 태극기 아래 자기 자리에서 맞은편 출입문 바로 옆 우리 학생과까지 찾아 준 용순이의 담임을 맞이할 때였다. 모처럼 차분히 의자에 앉아 있던 학생주임에게도 남겨 두었던 것을 함께 권하면서 거기에 얽힌 사연을 이야기했더니만 그들은 이미 미적지근하게 식어버린 건강음료만큼이나 뜨뜻미지근한 반응들뿐이었다.

"거 왜, 한 선생? 작년 가정방문 때 맥주를 따끈하게 뎁혀서 내놓았다는 양반이 바로 용순이 엄니 아녀?"

"그류? 지는 그런 기억은 일절 읎구유. 근디……, 과장님! 거 용순이 엄니라문 그럴 만도 했겄네유. 히히!

여러 면에서 더불어 낄낄거릴 수 없었던 나는 저 음료가 아직은 차가울 때 맛을 본 게 그나마 다행이라는 생각이 들었을 뿐이었다.

아무튼, 용순이 어머니가 다녀간 직후 연락을 받고 합의금을 징수하려 온 피해자 측 인사는 놀랍게도 석규였다. 아직 얼굴에 피멍이 남아 있기는 했으나 입 주변과 볼에는 이미 붓기도 가셔 있는 게 다행히 큰 이상은 없지 싶었다.

"아버지께서는 많이 바쁘신가 보구나? 너도 이번에 이런 일도 있고 했으니까……, 앞으로는 좀 더 착실하게 아직도 많이 남아 있는 학교생활을 잘 끝마쳐야겠지?"

석규는 아직 통증이 남아 있어서인지 내 영혼 없는 인사치레에 대꾸도 없었다. 그러다가 마침 교무실에 들어와 있던 몇몇 인문반 여학생들을 의식해서인지 조심스레 입을 열어 질문 겸 다짐을 해 왔다.

"확실히 용순이랑 장난치다가 이렇게 된 걸루 다들 알고 있지유?"

"글쎄, 그거는 네가 입만 열지 않으면 될 것 같은데……. 이 세상에서 용순이 말을 곧이곧대로 들어줄 사람이 몇이나 되겠니?"

뭐가 불만인지 잔뜩 입술을 내밀고, 그러면서도 마지막 자존심의 상징이라고 생각했음인지 어깨를 한껏 추켜올린 채 변변한 인사도 없이 석규는 교무실 문을 닫아 붙이고는 사라졌다. 퇴근길에 교문 옆 방죽 방향의 콘크리트 담벼락에 빨간색 스프레이로 'SUN OF BEACH'라는 한껏 로맨틱한 욕설이 휘갈겨 쓰여 있는 것을 보았으나 나는 겉으로 쓴웃음을 지으며 아무려면 싶었다. 아, 학생주임의 종전 직후 쌍방 아스널 분석이 떠올라서 더 그랬는지도 모르겠다.

"원래 용순이 쟈가 원체 힘은 천하장사여! 체육대회 때 씨름이라도 할라치면 얕잡아보고 뎀벼드는 놈들을 죄다 되치기로 해 넘겨버리잖여? 석규 그 자식은 몸뚱이보다는 조동아리가 더 앞으로 튀어나와 있구. 알고 보면 순 헛심이여 헛심!"

어릴 적부터 그 주둥이에 내내 당해 오기만 하다가 역발산기개세의 반격으로 다소 과한 대가를 치르기는 했다. 그러나 그 사건 이후에도 한결같은 용순이의 모습과는 다르게 석규는 이상하리만큼 안정감을 잃어가고 있었다. 평상시대로 거들먹거리다가도 용순이를 의식하면 속절없이 움츠러드는, 겉으로도 진폭이 큰 석규의 변화를 나는 놓칠 수가 없었다. 지금도 지난 시간에 있었던 물레방아 건으로 놀려줌으로써 한껏 자신의 우위를 과시하려는 의도가 빤하게 읽히고 있었다. 마침 용순이가 부재중인 완벽 노 마크 찬스를 놓치지 않는 순발력에 나는 찬탄과 경멸이 동시에 일기도 하였다.

*

한 시간 내내 용순이가 부재중인 상태에서 전쟁과도 같이 시작한 수업을 모두 잠재운 평화로운 분위기 속에서 끝마치고 복도로 나와 심호흡을 가다듬을 수 있었다. 그런 숫총각 선생님의 눈에 어느새 와 있었는지 모를 예쁘장한 상업반 여자아이 하나가 들어왔다. 이어서 잔뜩 인상을 쓰며 뒷문을 열고 나온 석규의 입에서 욕설과 뒤섞여 흘러나오는 "계집애가 제 몸 간수를 어떻게"니 "병원비든 수술비든 절대로"니 하는 말들이 따라붙었다. 황망하기 이를 데 없는 그 선생님은 쏟아져 나오는 학생들 틈을 잰걸음으로 헤쳐내며 신속하게 복도를 돌파하기에 여념이 없었다.

이렇듯 굳이 학생주임의 친절한 설명이 아니었더라도 나는 시골 아이들의 의외로 자유분방한 이성 관계를 이미 알고 있었다. 수줍은 듯한 미소로 포장된 일견 천진해 보이는 성정과는 별개로 기본적으로 좁은 시골구석에서 어릴 적부터 서로들 잘 알고 지내온 터였다. 거기다가 저 방죽 말고도 지천으로 널려 있는 천혜의 공간들이 감정적으로나 육체적으로나 가장 정점에 달한 그네들의 본능을 거의 무한대로 수렴하고 있었다.

교무실을 드나드는 여학생들을 볼 때마다 "쟈는 누구누구하고 홀랑 붙어먹은 아여!"라거나 "저렇게 못생긴 년두 사내가 있었단 말여, 그러니 복장 터질 노릇 아녀? 것두 둘씩이나."라며 입버릇처럼 던지는 학생주임의 자상한 코멘트에 처음에는 질색을 하던 마음이 어느새 무덤덤해지고 있었다. 다만, 그 '누구누구'나 '사내'로

빈번히 등장하는 석규와는 달리 단 한 번도 거명된 적이 없는 용순이를 향한 전혀 다른 차원의 착잡함을 어쩌지 못하고 있을 따름이었다.

"야 인마, 맹용순이! 증말로 이걸 니가 다 잡은 거여?"

교무실에 들어서기 전부터 감지되었던 왁자한 분위기의 주인공은 예상대로 용순이였다. 마룻바닥을 흥건히 적시도록 플라스틱 양동이 한가득, 그리고 그것도 부족하여 양은 재질의 세숫대야가 넘쳐나도록 몇 마리인지 얼추 가늠하기도 어려운 민물고기 떼였다. 그것들을 앞에 놓고서는 그 착잡하기 이를 데 없는 용순이가 의기양양 서 있었다. 자세히 들여다보니 내가 이름을 알 길 없는 한두 마리를 제외하고는 모두가 특유의 멋들어진 수염을 뽐내고 있는, 어른 팔뚝만큼씩이나 굵직굵직한 메기들이었다. 그러고 보니 아이들은 나에게 정확히 사실만을 말하였던 셈이었다.

"야, 이놈아! 수업까장 빼먹으면서 한 시간 내내 메기를 잡은 거여? 도대체 누구 허락 받고 뭘로 그런 거여? 그러다 물에 빠져 뒈지기라도 하면 너두 너지만 학교 선생님들까지 어쩔라구 그려?"

가뜩이나 메기들이 요동치는 와중에 담임인 한 선생이 행정상의 책임이 뒤따르는 사안들에 관한 질문을 마구잡이로 쏟아부었다. 특히 마지막 것은 은근히 해당 시간 담당 교사를 향한 것이어서 나를 긴장케 하기에 충분하였다. 고맙게도 그 긴장을 풀어준 것은 애당초 이 모든 사태의 장본인인 용순이였다.

"아뉴! 집에 가서 점심 먹고 오다가니부터 기냥 잡기 시작하다

보니께 그렇게 된 거구유. 지한테는 물고기들이 맨손으로도 잘 잽혀유. 그리고 방아실 들어가는 다리 밑이 그 둠벙은 지가 깊으면 깊어 봤자 아녀유. 왜냐문……, 으응……, 좌우당간 저 헤엄 잘 쳐유! 어릴 적에 안샘골 경자가 물에 빠진 것두 지가 건져 줬잖은감유. 그래서 우리 집 계순이는 못 살렸지만서두……!"

청출어람이라고나 할 정확한 대답과 추가 정보까지 제공하는 것을 잊지 않고 있는 용순이는 분명 평소와는 달라 보였다. 학교와 학생들의 굴레를 벗어나 혼자만의 공간에서 혼자만의 시간을 보내고 나서였을까? 잠시 머뭇거리기는 했어도 한결 밝고 활기차 보이는 모습이었다. 나는 그런 용순이를 지켜보면서 엉뚱하게도 얼마 전 읽었던 소설의 바로 그 대목을 떠올리고 있었다.

삼지창 하나만을 들고 남양 토인의 춤을 연상케 하는 원시적인 동작과 힘으로 강에서 물고기를 사냥하고 있는 소설 속 소년의 강인한 생명력. 그리고 아직도 소매와 바짓가랑이를 걷어붙인 채 우두커니 서 있는 용순이의 단단한 팔뚝과 근육질의 종아리. 거기다 백지와도 같이 순수하면서도 위태로운 영혼이, 맥락은 전혀 다르지만, 서로 유사하다고 여길 이유가 충분했기 때문이었다. 강력한 시대사적 사명을 표출하는 소설 속 소년의 현실 인식을 내 눈앞의 용순이에게서 바라는 것은 언제까지고 무리이겠지만…….

그런데 그것은 생각할수록 나도 별반 다르다고 할 수는 없는 문제였다.

*

"너 이거 어쩔랴구 그랴? 저기 매운탕 집에 내다 팔아서 그 돈 엄니 드릴랴구 그러는구나? 우리 용순이 효자구먼그랴."

"석규네 집에다 팔어 줄 생각은 아예 하덜 안 했구유. 첨에는 재미로 잡다 보니께 선생님들 끓여 잡수시면 좋겄다 싶어서 자꾸만 더 잡게 됐구만유. 괜히 저 때문에 속들 많이 끓이시잖어유."

살아 있는 현실 인식의 대가 학생주임의 한발 앞서는 예언과 부족한 제자를 향한 아낌없는 칭찬. 그에 아랑곳하지 않고 언제나 그것을 빛나가게 만드는 용순이의 주특기.

"내 속도 자꾸 끓이구 인저 메기 매운탕도 끓이구, 아주 끓이는 기술자 나셨구먼, 기술자 나셨어! 그려! 니 말대로 민물 메기는 쌩으로보다는 얼큰하게 끓여 먹는 게 위생적으로도 맛으로도 제일여, 제일! 선생님들, 말 나온 김에 워떻게 수업 끝나고 한 고뿌덜씩 하실 터유? 이거 전 직원이 다 먹고도 남겄는디요. 여그 실습장서 꼬추하고 대파하구 푸성귀 쫌 따다 넣고 끓이면 맛은 아주 지랄맞게 좋을 거 같긴 한다."

일사천리로 일을 몰아가는 학생주임의 추진력에 제동을 건 사람은 시끌벅적한 교무실의 동태를 파악하기 위해선지 아까부터 문밖에서 지켜보고만 서 있던 서무과장이었다.

"아니, 신성한 학교 안에서 매운탕 파티라도 하자는 말씀들이십니까? 그러다가 이사장님 귀에 들어가서 안 좋은 말씀이라도 나오시면 어쩌시려고들?"

정작 자신이 가장 유력한 말전주 혐의자인 서무과장에게 동의를 표한답시고 일을 더 키워버린 것은 그와 초중고 동기동창이라는 교무주임이었다.

“그럽시다. 다소 늦은 감이 있긴 하지만, 앞으로 학교 시설물 내에서의 공식, 비공식적인 회식은 자제하도록 합시다. 그래도 명색이 교육기관이자 공공기관인데……. 그러지 말고 학생과장 선생님께서 석규네에 연락해서 고기는 많이 있으니까 어떻게 양념만 조금 해서 끓여달라고 부탁을 해, 진짜로 조금 늦은 감이 없진 않지만, 아예 2학기 개학 기념 전 교직원 회식을 하도록 하는 게 어떻겠어요? 교장 선생님께는 제가 보고드리고 같이 가실 수 있으면 그러시자 권해 볼 테니까?”

메기 몇 마리를 놓고 벌어지는 이 조그만 시골 학교의 권력적 암투? 나는 내가 앞으로 가야 할 길이 아직도 참으로 먼 것은 아닌가 하는 아스라한 생각에 빠져드는 도리밖에 없었다.

“뭐, 석규 아버지야 내가 얘기하면야 안 들어줄 도리가 없는 사람이지만서두. 근디……, 그 깨끗한 성품의 우리 교장 선생님께서 같이 가 주실랑가는 모르겄네유? 교감 선생님, 안 그류?”

질척한 쟁투에서 밀려난 학생주임은 짓밟힌 자존심을 일부 회복하는 동시에 권토중래를 꾀하며 자신보다는 상대적으로 약자라고 생각되는 또 다른 희생양을 지목하였다. 늘 철두철미 중립을 고수하려 애면글면하는, 그리하여 자칭타칭 무골호인 별호를 달게 된 교감을 지원군으로 요청하는 노련함을 발휘한 것이었다. 그리고 그 즉흥적인 전략은 놀랍게도 일부 주효하였다.

“글쎄, 당췌 그런 델 안 가시는 분이라서……. 뭐, 말씀은 드리는 게 윗분을 모시는 직원 된 도리긴 한디.”

"교장이 참석하든 말든 일단 회식은 하도록 합시다. 다시 놓아주지 않는 한, 당장 이 많은 물고기들을 어떻게 처리할 방법이 없잖아요? 술값은 우리 서무실에서 어떻게 마련해 보도록 할 테니까. 그리고……, 여기 우리 학생! 정말 고마워요. 맛있게 잘 먹도록 할게요. 한 선생님! 이 학생은 이제 교실로 돌아가서 수업을 마저 받도록 조처해 주시는 게 어떨까요?"

교감의 도의적 명분론을 냉엄한 현실론으로 압도하며 학교 내에서의 실질적인 권력을 스스로 과시한 사람은 또다시 서무과장이었다. 인문반 우수 학생 유치와 명문대 입학의 신화 재현이라는 명분으로 정년 직전인 올봄 공립에서 특별히 초빙되어 온, 그러나 한 학기가 지나도록 구체적인 운신의 폭을 선보이고 있지는 않은, 그리하여 기존의 학교 구성원들로부터 전혀 수장으로 인정을 받지 못하는, 심지어는 새파랗다 못해 핏덩이로까지 불리는 한참 막내인 나와 입사 동기라는 농반진반의 뒷말도 공공연히 듣는 교장을 가장 무시하고 있는 사람이 바로 이사장의 친인척이라는 이 서무과장이었다. 그리고 기껏 애써 잡은 메기를 처리하는 이 중차대한 논란에서 알지 못하는 사이에 철저하고도 완벽하게 소외되어 버린 용순이를 끝내 잊지 않고 챙겨준 사람 역시 그 누구도 아닌 서무과장이었다.

그러고 보니 용순이는 아까 석규네 매운탕 집이 입에 오르내릴 때부터 의기소침해하더니, 이제는 출입문 옆 한편으로 밀려나 눈과 머리를 바삐 움직여 가며 사태의 추이를 주시하고 있었던 모양이었다. 그러다가 떠들썩했던 논란이 일단락되자 실망의 빛이 역력한 낯빛을 떨군 채 인제 그만 교실로 썩 돌아가라는 담임 한 선생의 엄명이 떨어지기도 전에 묵묵히 나가 버리는 것이었다. 용순이의 왠지 허전해 보이는 뒷모습에서 또다시 착잡함이 동한 나는 쓴 입맛인지 헛 입맛인지를 다시며 앉아 있는 학생주임에게 아까부터 궁금해하던 사실을 묻고 말았다.

"그런데, 용순이 동생이 물고기를 잡다가 죽었나요?"

"까짓것 아무러면 워뗘? 얼큰한 매운탕에 목구녕이 싸하게 쐬주나 한잔하면 되는 거지. 인생 뭐 별거 있간디? 근디……, 왜 또 뭐? 용순이 여동생?"

*

용순이의 여동생이 익사한 것은 내 추측과는 한참이나 어긋나서 한여름 천렵 철도 물놀이 철도 아닌 짧은 봄방학이 시작되던 몇 해 전 2월 하순의 어느 날이었다. 국민학교 5학년까지 무사히 마치고 이제 최고 학년에 오를 용순이와 여동생 계순이, 그리고 두루두루 용순이 아래 학년인 동네 조무래기 셋, 이렇게 다섯이 한데 어울려 집으로 돌아가는 길이었다. 마침 그들은 얼어붙은 방죽 한복판에서 여기저기 구멍을 파고 낚시질을 해 버릇하던 용순이의 아버지를 발견하게 되었다. 반갑고 궁금한 마음에 다들 쪼르르 달려 내려가 낚시꾼을 둘러싸고는 쪼그려 앉아 잘 잡히기는 하냐고 물어본다, 하마 잡아 놓은 물고기를 살펴본다, 그러며 깔깔대는 순간, 그만 얼음이 무너져 내려 한꺼번에 물속으로 빨려들고 말았다. 어른 하나를 지탱할 수 있을 정도로 마침맞게 녹아 있던 얇아진 얼음이 덩치는 작지만, 여럿인 아이들의 무게를 견뎌내지 못한 것이었다.

물에 빠져 허우적대는 아이들 틈에서 당연히 용순이와 계순이가 먼저 눈에 들어왔겠지만, 애들 아버지는 만에 하나 뒷날 있을지도 모르는 사람들의 비난을 두려워했음인지, 아니면 암만 사경에 처했더라도 사람의 경우는 그런 게 아니라고 생각했음인지 먼저 다른 아이 둘을 업고 안고 해서 얼음을 헤쳐 나가기 시작하였다. 뒤늦게 정신을 차린 용순이도 아버지가 하는 모양을 따라 제 옆에서 얼어붙고 있던 계순이의 단짝 친구 경자를 끌어안고 극심한 냉기와 난생처음 느껴보았을 죽음의 공포와 싸워가며 방죽 가장자리에 닿기 위하여 안간힘을 썼다. 이제 마지막 남은 아이 하나를 구하러 다시 얼음물 속으로 뛰어 들어간 용순이 아버지와 계순이마저 결국 떠오르지 않게 되자 살아남은 아이들이 울부짖으며 곡성을 터뜨리기 시작하였으나 용순이는 오히려 "크이허! 크이허!" 하며 웃음과도 같은 기괴한 소리를 멈추지 못하였다 한다.

"멀쩡했던 애가 그때부터 저렇게 이상해졌다는 얘기도 있다는디……. 모르지 뭐어, 내가 직접 본 바도 없구! 또 그라문 얘기가 너무 소설이나 영화 같잖여? 좌우지간 인생 뭐 별거 있어? 어이, 이 선생! 그런 의미에서 술이나 한잔햐. 왜 말은 안 해도 맘고생이 많지? 나도 실은 이 빌어먹을 누무 학교가 징글맞고 애덜은 더 징글징글햐. 하긴 우리 이 선생은 가만 보니께 그 난리 북새통에도 책도 많이 읽고……. 쫌만 참으면 서울이든 어디든 도회지루 나가게 될 거 아녀?"

급조된 것 치고는 참으로 공전절후의 성황을 이루고 있었다. 교장, 교감을 포함하여 총 스물일곱 명의 교사와 여섯 명의 서무과 소속 직원 가운데 불참자는 얼추 두셋뿐이었다. 정말 빌어먹고 있는 학교의 작은 덩치에 비해서는 나름 큰 규모의 회식이었다. 남녀노소고하 선생님들을, 그리고 특별히 서무과장님을 이렇게 모시게 된 것이 더할 나위 없는 영광이라며 맘 편히, 그리고 마음껏 드시라며 무료 서비스임을 선언한 석규 아버지 최 사장의 배려 덕분인지 좌중은 한층 무르익어 가고 있었다. 별것 없는 인생을 살아가는 학생주임도 거푸 술잔을 채우고 비워가며 용순이 여동생 익사 사건의 비극적인 전말에 덧붙여 한결 무욕하고 풍족한 인간성을 베풀어 주었다.

사실이 그랬다. 자신들도 언제부터인지 알 수는 없었겠지만, 모르게 알게 서로 물고 뜯고 상처 주고 또 상처받고 하던, 사실 따지고 보면 별것도 없고 몇 되지도 않는 인간 군상. "아이고, 우리 안 과장님!", "어, 너 한 선생 이놈!" 해가며 권커니 잣거니 하는 이 순간만큼은 참으로 화해롭기 그지없어 보였다. 그것은 분명 술의 힘을 빌린 탓도 컸었겠지만, 인간 삶의 진실한 한 측면으로 이해하고 기억해 둘 만한 가치가 충분해 보였다.

그러나 논문 심사도 받는 둥 마는 둥 갈데없이 이 시골구석으로까지 밀려난 패배한 인생으로서의 자책감에 시달리던 나는 그런 것들을 깨치기에는 너무 어렸었다. 부끄럽게도 그때 나는 나의 공허했던 삶의 식견을 난생처음 메기 매운탕의 도저히 잊을 수 없는 풍미로 채우고 있었다고 고백하지 않을 수 없겠다. 그 맛은 삶의 심

오한 진실 따위를 몇 배는 초월하고 말 것 같은 충분한 물적 가치를 지니고 있었다고 말하는 편이 더 솔직할 것이다.

흔히 갖은양념에 가려지기 일쑤인 여느 물고기들, 특히 민물고기 특유의 푸석푸석 비릿닝닝함이라고는 전혀 찾아보기 어려운 메기만의 쫄깃하게 씹히는 맛! 소, 돼지도 아닌 어류에는 가당치도 않은 육질의 미라고나 이름할 독특한 그 식감에 나는 무한정 빠져들고 말았다. 요즘 유행하는 흔한 말을 잠시만 빌려 쓰자면, 영혼마저 딱 힐링이 되는 그런 기분이었다. 지금 돌이켜 보면, 그날의 화해롭기 그지없었던 분위기도 메기의 그 기막힌 맛이 일조하지는 않았나 싶다.

*

피난민도 형지 없이 어지러웠고 일본 사람들도 과연 눈을 거들떠보기 싫게 처참하지 아니함이 없었으나, 생각하면 이것을 혁명이라 하는 것이었다. 혁명은 가혹한 것이었고 또 가혹하여도 할 수 없을 것임에 불구하고 한 개의 배장사를 에워싸고 지나쳐 간 짤막한 정경을 통하여, 지금 마주 앉아 그 면면한 심정을 토로하는 이 밥장사 할머니에 이르기까지 그것이 어떻게 된 배 한 알이며, 그것이 어떻게 된 밥 한 그릇이기에, 덥석덥석 국에 말아 줄 마음의 준비가 언제부터 이처럼 되어 있었느냐는 것은 나의 새로이 발견한 크나큰 경이(驚異) 아닐 수 없었다. 경이보다도 그것은 인간 희망의 넓고 아름다운 시야(視野)를 거쳐서만 거둬 들일 수 있는 하염없는 너그러운 슬픔 같은 곳에 나를 연하여 주었다.

청진역 가까이 시장통에 국밥집을 허름하게 벌여놓은 노파는 밤이면 잠을 이루지 못하여 가물가물한 기름불을 켜놓고 새벽녘이 다 되도록 지켜 새우고 있다. 그녀는 다복했던 자식들을 다 잃고 나이 서른에 과부가 되어 유복자 하나만을 믿고 살아왔으나, 그 아들이 공장에 다니면서 사상운동에 앞장서다 경찰에 붙잡혀 감옥에서 죽임을 당한 가슴 아픈 가족사를 간직하고 있다. 그때 그 아들과 같이 활동하던 사람 중에 "일본 사람은 일본 바다에서 나는 멸치만 잡아 먹어도 넉넉히 살아갈 수 있다." 말한 것이 범죄가 되어 역시 감옥에 갇히게 된 일본인 가도오가 있었다.

노파는 그로부터 오 년간의 신산스러운 세월이 지나 일본이 패망한 오늘에야 겨우 가도오의 말뜻을 이해하게 되어, 거지꼴이 다 되어 구걸하러 다니는 일본 난민들에게 국밥이나마 따끈하게 말아 주기 위해서 이 밤을 잔등 모양 밝히고 있는 것이었다. 해방 이전 일인 가도오가 조선인에게, 아니 죽은 자기 아들에게 베풀어 준 따뜻한 고마움을 잊지 못하여, 상황이 정반대로 바뀐 지금 조금이나마 갚아 보겠다는 진실한 마음에서였다.

역시 그 소설에서 또 다르게 도드라지는 이 대목 때문이었나? 그렇다고 하더라도 내가 지금 냉엄한 역사보다는 온기 어린 내면에 가까이 다가가 있는 형국은 아닐 텐데……. 그리고 또 국밥이 메기 매운탕으로 둔갑할 수는 없는 이치 아닌가. 혼란스러웠던 나는 다 떨쳐버리고 오직 매운탕에만 집중하기로 했다.

그러나 연신 탐스러운 메기의 살점을 찾아 젓가락질을 멈추지 못하면서도 이 융숭한 향연의 모든 수혜자가 지금 까마득하게 그러고 있는 것 모양 깜박 잊어버릴 뻔했던 착잡하기 이를 데 없는, 아니 이제는 감읍해 마지않아야 할 용순이를 떠올릴 수밖에 없었다. 한 점씩 씹어 물을 때마다 "흐흐, 용순이 이 망할 놈의 자식! 물레방앗간이나 뚝방치기 따위는 몰라도 괜찮아! 나에게 이렇게 일용할 영혼의 양식을 주다니! 순정한 정신의 소유자여, 영원히 복 받을지어다!" 등등 내심으로나마 연신 유치하고 과장된 언사를 남발해 대고 있었다. 그러다가 "막내! 막내!" 하며 나를 연호하는 듯한 소리에 겨우 정신을 차려 주위를 둘러보게 되었다.

기어이 화기애애하게 무르익어 가는 분위기에 취해서인지 그간 겉돌기만 하던 교장이, 그 깔끔한 성품의 내 입사 동기가 막 한 곡조를 끝낸 직후였다. 황송하게도 자연스레 나한테까지 순번이 넘어온 모양인데 매운탕과 함께 정신없이 들이켠 술에 얼근히 달아오른 나는 그만 어설픈 치기를 부리며 감히 그곳으로 달려가고야 말았다.

찬 이슬 내리는 지오피 전선에서
두고 온 한 여인을 못 잊어서 내가 운다.
철책이 가로막힌 지오피 전선에서
사나이 사나이가 한 여인을 못 잊어서……

내가 병역의무의 상당 기간을 GOP에서 근무한 적이 있었던 것은 사실이지만 거기서 남들과 확연히 구별되는 무슨 대단한 사건을 경험했다거나, 심지어는 속수무책으로 실연의 아픔을 겪어냈다거나 해서가 아니었다. 그것은 우리 소대원들이 흔히 '예비군'이라고 부르며 숭배하던 또 다른 물고기 때문이었다. 전반야에 철책 경계 근무에 투입되는 순번이 돌아오는 경우, 주간에는 대개 진지 보수와 같은 작업이 배당되곤 하였다. 그때마다 흐르는 맑은 개울물에 투망을 던져 놓으면 드물게 몇 마리씩 잡히는 귀한 물고기가 당시 예비군복 모양 점박이 무늬의 자연산 쏘가리였다. 지친 몸과 마음을 이끌고 진지로 복귀한 한밤중에 누가 끓여놓았는지 모를 조촐한 쏘가리 매운탕을 안주 삼아 몰래 담가 두었던 머루주 따위를 한 잔씩 들 걸치고 잠자리에 들 수 있었던 소소한 행복! 불과 몇 년 전 일일 터인데 이제는 아득하기만 한 그 추억 때문이었다.

그때도 우리는 그랬었다. 수컷들만의 한정된 공간에 갇혀 지내면서 느낄 수 있는 모든 부정적인 감정들을 뒤로하고 그 순간만큼은 즐길 수 있는 최대한의 안온한 감정들을 서로 나누기 주저하지 않았었다. 말년이건 신병이건 가릴 것 없이 서로 평등하게 누리는 음식이 주는 힘은 의외로 강력한 것이어서 그때 우리가 느꼈던 유대감이 내 뇌리에서 영원히 사라질 것 같지 않았다. 물론 그 이후로도 소대원들 사이에서 갈등과 알력은 여전했겠지만, 모두에게 힘겨웠을 그 시기를 무사히 넘기게 해준 것으로, 어찌 보면 지극히 하잘것없었을 그 매운탕을 첫손에 꼽기를 나는 주저하지 않을 것이다.

토굴 진지의 옹색한 베니어와 장판 식탁에 둘러앉아 먹었던 그 쏘가리 매운탕에서 느끼던 것과 비슷한 감정을 지금의 메기 매운탕에서 재차 경험하게 되는 하염없는 반가움이 치기를 발하게 한 것이었다. 아울러 그 반가운 마음은 내가 앞으로 감내해야만 했었던 이 학교에서의 지겹고도 힘겨웠을 이태 동안의 장구한 순간들을 견뎌내게 할 것이었다. 나는 공교롭게도 내 입사 동기인 교장이 완전히 교직을 떠난 이듬해 학년도 봄, 함께 그 학교를 그만두고 한때 포기했던 학업을 이어가기 위해 다시 서울로 올라오게 되었다. 장차 내 학위 논문거리인 <殘燈잔등>과 허준 때문이기도 했고, 예의 메기 매운탕과 용순이 덕분이기도 하였다. 그리고 그것은 그 메기 매운탕 회식 이후로도 줄곧 파란만장한 사연을 써 내려가던 용순이가 학교를 마치던 해이기도 하였다.

*

서울에 비해 상대적으로 시류에 둔감하다고 여겨지는 바닷가 도시에서 태어나 내내 그곳에 상주해 오면서도 페미니즘에 천착하는 듯한 작품들을 양산해 내는 어느 젊은 작가. 놀랍기도 부럽기도 한 그녀의 벌써 네 번째 창작집 출판 기념회에 서평을 달아준 평론가 자격으로 참석하고 돌아오는 길이었다. 예정보다 길어진 행사에다가 찬사 일색의 분위기에 흥이 오른 작가 겸 제자가 강권하는 술을 거절하지 못하고 몇 잔 받아먹은 것에 그만 취기가 오르고야 말았다. 물 맑은 해변의 호텔에서 하룻밤 묵고 가라는 간청을 물리치고 예매했던 열차를 그냥 떠나보낸 채 한 시간 가까이 후에나 있을 다음번 상행을 기다리며 무료히 앉아 있어야 했다.

“어머나! 듣고 보니 이건 제 소중한 미모와도 맞바꿀 수 없을 것 같네요? 우리 멋쟁이 사장님!”

어느 로컬 프로그램의 자칭 미녀 리포터가 호들갑을 떨며 무언가를 소개하고 있는 장면이었다. 나는 그 여자의 육감적인 입술보다 평상 위에서 이제 막 끓어오르고 있는 메기 매운탕 앞에서 카메라를 의식해서인지 싱글벙글 연신 벌어진 입을 다물지 못하는 중년 사내가 왠지 자꾸만 눈에 들어왔다. 메기보다 더 큰 물고기도 많은 동남아시아의 거대한 호숫가 마을에서 왔다는 한참 나어린 만삭의 아내와 함께한 석규였기 때문이었다. 아버지의 매운탕 집을 물려받았음인지, 아니면 자신이 더 늘렸음인지 제법 시설과 규모가 과해 보이는 식당의, 여전히 약간 거들먹거리는 듯한 인상의, 그러나 누가 보아도 어엿하기 이를 데 없는 사장이 되어 있었다. 나는 거의 한 세대가 다 되어가는 절대 짧지 않은 시간이 석규의 정수리와 귓가에 희끗희끗 서리를 내리게 만든 대형 모니터를 신기한 듯 들여다보게 되었다.

"저거유? 다 양식이유! 메기는 자연산이 최곤디 젠장할 놈의 씨가 다 말라버렸으이……!"

"야, 이 사람아! 그런 소릴 하덜 말어. 여울이고 둠벙이고 뚝방이고 지천이던 우리 동네 메기를 그동안 다 잡아 뻰진 사람이 누군디 그랴? 젤루 양식 메기 공급업자가 그런 말을 하면 어디 쓰간디?"

방송 관계자들이 무척이나 좋아할 코믹한 상황을 전혀 어색하지 않게 연출하며 등장한 민머리의 사내는 분명 용순이였다. 그 지역 사람들이 즐겨 쓰던 토속적인 표현대로 "날 따숴지니 깨구락지도 올챙이도 다 겨나오는" 형국이었다. 게다가 그 옆 단아한 표정의 아낙네 아래로 '전경자(42)'?! 모를 듯 알 듯한 이름이 자막으로 차고 넘치니 상황은 바야흐로 클라이맥스에 달하는 것이었다. 이번에는 그 경자가 삶의 소용돌이 속에서 허우적댔을 용순이를 건져 준 모양이었다.

나는 결연히 그럴 리가 없다고 부정하면서도 이 비현실적인 장면을 모두 용순이가 연출하고 있는 것은 아닌가 하는 환각 속으로 빠져들어 갔다. 그러면서도 내 앞으로 차려져 나온 그 옛날의 메기 매운탕에 다시 한번 감읍하면서 쫄깃한 살점 하나를 탐욕스럽게 건져 올렸다.

※ 본문의 <殘燈잔등> 인용은 《북으로 간 작가 선집 10》(을유문화사, 1988.)에 준하였음.

- 끝 -